Tv-serie: Anjali Taneja
Boekbewerking: Vera Gheysels
Creatie: Studio 100

ISBN: 978-90-5916-385-0
NUR: 280
Wettelijk Depot: D/2009/8069/19
Tweede uitgave: April 2009

DE PAARDENHOEVE

Merel wil een baantje

Merel haalde diep adem. Ze duwde de tok stevig op haar hoofd en greep met trillende handen de teugels van het paard beet.

"Klaar?" De man die het startschot zou geven, keek haar van bij de rand van de piste vragend aan.

Merels hart bonsde luid in haar keel. Was ze er klaar voor? Ze slikte de krop in haar keel weg en knikte dapper. Ja, ze was er klaar voor…

Toen de man het startpistool naar de blauwe lucht richtte, begon het publiek te applaudisseren. Merels paard schudde ongeduldig zijn hoofd en Merel gaf hem een geruststellend klopje. Haar ogen schoten even opzij naar de joelende mensenmassa, maar de zon scheen zo fel dat ze niemand herkende.

Toen begon het aftellen. Het werd doodstil in de tribunes. Iedereen keek gespannen naar het paard en Merel.

"3… 2…" Merel sloot haar ogen en concentreerde zich op de lichtvlekjes die dansten op de binnenkant van haar oogleden. Ze voelde de warmte van de zon op haar gezicht, alle geluiden van buitenaf leken te vervagen…

"… 1!"

TOE-OE-OE-OET! TOETOETOE-OET!

Merel schrok op uit haar dagdroom. Weg was de piste, weg het paard, omgewisseld voor een zonovergoten weggetje en een meisjesfiets. Ze was gewoon op weg naar huis.

TOE-OE-OET! Een auto toeterde ongeduldig achter haar rug.

"O… O… OOOH!" Merel verloor de controle over haar stuur. Haar fiets slingerde over de weg en ze slaagde er maar net in de auto die haar claxonnerend voorbijstak, te ontwijken. Ze zwaaide kriskras over de weg en reed de berm in. De auto verdween achter een bocht en het getoeter stierf weg in de verte.

Merel grabbelde met haar handen naar haar gezicht. Haar gebreide muts was over haar ogen gezakt. Ze duwde hem naar achteren en krabbelde overeind. Ze sloeg plukken gras

en vegen bruine aarde van haar kleren en zocht naar haar fiets. Die lag enkele meters verderop; het achterwiel draaide slepend trage rondjes. Merel slaakte een diepe zucht: door de klap was het wiel krom. Het laatste eind naar huis zou ze te voet moeten afleggen. En daar zou ze vast weer een preek van haar papa krijgen. Dat ze beter moest uitkijken en zo verder, ze kende het zo langzamerhand wel. Ze was een beetje kwaad op zichzelf. Ze moest ophouden met dat dagdromen over paarden…

Een dik halfuur later was ze thuis. Merel woonde samen met haar papa, Tijs De Ridder, aan de rand van het dorp. Ze hadden een klein maar supergezellig bakstenen huisje met een crèmekleurige voordeur en paars geschilderde luiken voor de ramen zodat het een beetje leek op een sprookjeshuis. Vooraan scheidde een ijzeren hek en een overwoekerd tuintje het huis van de stoep en om bij de deur te komen, moest je je langs een smal pad tussen de planten wurmen. Toen ze klein was, had Merels mama haar verteld dat er kaboutertjes in het tuintje woonden. En hoewel ze intussen beter wist, hoopte Merel nog elke dag dat ze plots een kaboutertje zou zien.

Merel duwde haar kapotte fiets tot bij de achterdeur en reed hem binnen in de knutselkamer waar haar papa, die uitvinder was, aan zijn uitvindingen werkte. Het hele huis stond vol met spullen die hij zelf uitgevonden had. Zo was er de automatische sokkenoptrekker (zodat je niet door je knieën hoefde te buigen als je sokken wilde aantrekken), de haardroogkam (die Merel niet durfde te gebruiken omdat anders de elektriciteit uitviel), er was zelfs een automatische klerenlift die van beneden naar boven ging en waar je dingen aan kon hangen zodat je niets hoefde te dragen. Hij had nog nooit een uitvinding verkocht, maar dat kon Merel niet deren, ze had de leukste papa van de hele wereld vond ze.

Zodra ze de fiets binnenduwde in huis, liet haar papa meteen alles vallen en kwam haar te hulp. Merel las de overbezorgde blik in zijn warme bruine ogen.

"Ik ben alleen maar gevallen," zei ze. "En nee, ik heb niets gebroken, alleen dit…" Ze wees naar het kapotte wiel.

Haar papa nam de fiets van haar over en zette hem ondersteboven op de werkbank. Maar in plaats van naar van de fiets, keek hij naar haar ernstige gezicht. Een lachrimpel krulde rond zijn mond. "Is dat de nieuwe mode," grinnikte hij. "Gras uit je oren laten groeien?"

Merel trok haar muts van haar hoofd en een paar grassprietjes vielen op de grond. Maar haar papa keek al niet meer. Hij bestudeerde de schade aan de fiets: het wiel was krom en enkele spaken waren gebroken.

"Kan je 't maken?" vroeg Merel voorzichtig.

"Ik denk het wel... Neem jij mijn bril even? Die ligt hiernaast op tafel."

Merel liep naar de keuken en slingerde haar jas over een stoel. Op de keukentafel lag een stapel paperassen met bovenop enkele brieven. Merel wilde de papieren optillen om te kijken of de bril eronder lag, toen haar oog op de bovenste envelop viel. De brief was er haastig terug ingeschoven, waardoor een stukje nog naar buiten stak. Nieuwsgierig trok ze de brief uit de envelop. Het was een brief van de bank. Haar ogen vlogen over het blad. Het was geen goed nieuws: Vijfde herinnering... Aanmaning tot betaling... Laatste waarschuwing... las ze. Hun bankrekening stond hopeloos in het rood. Merels papa was uitvinder en ze hadden het niet erg breed, maar dat het zo erg was, had Merel niet durven denken. Ze kreeg van boosheid een krop in haar keel. Waarom had hij haar hier niets over gezegd?

"Het is binnenkort je verjaardag, hé!" taterde haar papa vanuit de knutselkamer. "Zestien... Daar moeten we een groot feest van maken, niet?"

"Wat is dit? Vijfde herinnering!" Ze wapperde boos met de brief. "Papa, wat heeft dit te betekenen? Ik ben nu toch echt oud genoeg om te..."

Haar papa keek haar een beetje beteuterd aan, en probeerde de situatie snel recht te trekken. "Weet je al dat mijn automatische kaarsendover verkocht is?" zei hij.

Merel keek hem ongelovig aan. Haar vader had al heel wat dingen uitgevonden, maar tot nu toe had hij er nog niet één van verkocht. "Nou ja: zo goed als verkocht," gaf hij toe. "Ik mag over een halfuurtje bellen."

Merel toverde een lach op haar gezicht. Als dit waar was, dan konden ze die rekening betalen!

Toen ze echter een halfuurtje later belden met de mogelijke koper van de 'automatische kaarsendover' verdween de vrolijke stemming. De man was niet geïnteresseerd in het ding. Wat betekende dat er nog steeds geen geld was. Merel voelde haar hart in haar schoenen zinken. Wat nu? Zonder iets te zeggen, staarde Merels papa verstrooid voor zich uit. Hij was mijlenver weg met zijn gedachten, alsof hij het slechte nieuws niet gehoord had.

"Papa?" vroeg Merel bezorgd. Ze schudde hem zacht aan zijn mouw. Hij schrok op uit zijn gedachten en toverde een brede glimlach op zijn gezicht.

"Ik heb een schitterend idee," begon hij alsof er zonet niets was gebeurd. "Wat denk je van een hoed met een ingebouwde radio? Die ook nog tegen de regen kan!" voegde hij eraan toe.

Merel schudde haar hoofd. Dit was weer typisch haar papa, de problemen voor zich uitschuiven. Alsof ze vanzelf zouden verdwijnen. Maar deze keer moest er iets gebeuren. Ze had de brief van de bank gezien. Maar wat kon ze doen? Papa stond er helemaal alleen voor. Ze wilde dolgraag helpen, maar hoe dan? Terwijl haar papa enthousiast aan het schetsen ging voor de nieuwe uitvinding (de hoed met een ingebouwde radio) brak Merel haar hoofd over een mogelijke oplossing. Plots viel haar oog op de krantenbak. Ze had gisteren nog door het advertentieblad gebladerd op zoek naar koopjes. Ze kreeg een schitterende ingeving. Achteraan stonden de jobaanbiedingen. Ze zou een baantje zoeken! Het was vakantie en ze had toch niets speciaals gepland.

Merel nam de krant, ging aan tafel zitten waar haar papa druk aan het schetsen was aan 'de hoed met ingebouwde radio' en bladerde tot bij de werkaanbiedingen.

Zodra hij zag wat ze van plan was, begon haar papa te protesteren. "Merel, een job..." sputterde hij tegen. "Ik moet toch voor jou zorgen! Dit vind ik geen goed idee!"

Merel negeerde hem. "Hier!" zei ze. "Jonge dynamische vrouw... dat ben ik wel... die graag hard werkt, hm, dat kan ik wel... en die ervaring heeft met computers, hm, tja, dat heb ik niet..." besloot ze.

Haar papa glimlachte opgelucht, maar Merel gaf niet gauw op. Met een roze stift omcirkelde ze andere aanbiedingen. "Wat denk je van tuinman?" vroeg ze enthousiast. "Of schilder? En dit hier: hou je van dieren, hou je van de frisse buitenlucht, kom ons dan…" Haar stem werd plots heel wat stiller toen ze verder las: "… helpen op manege De Paardenhoeve." De laatste woorden fluisterde ze bijna, maar toch had haar papa elk woord gehoord. Waarom had ze niet beter opgelet? Ze had kunnen raden hoe hij zou gaan reageren…

Zijn gezicht stond op onweer. "Werken op een manege?" riep hij boos. "Geen denken aan! Daar hebben we het genoeg over gehad!" Hij rukte de krant uit haar handen en scheurde de pagina met de advertentie eruit, verfrommelde die tot een propje en mikte het in de vuilbak. Zonder nog één woord te zeggen stond hij op en verdween in zijn knutselkamer. Merel keek hem beduusd na, maar ze ging niet achter hem aan. Ze wist dat ze hem nu even alleen moest laten. Haar papa zou nooit toestaan dat ze in de buurt van paarden kwam. Niet na wat er met haar mama was gebeurd. Toch haalde ze stiekem het propje papier uit de vuilbak en stak het snel in haar zak…

Marie-Claire de la Fayette

Buiten het dorp, op enkele kilometers van Merels huis, bevond zich het landgoed van de familie de la Fayette. Het domein lag midden in de bossen en de manege die de familie de la Fayette had uitgebouwd, was bekend in heel de streek. Manege De Paardenhoeve was dan ook een droom voor elke paardenliefhebber. Herbert de la Fayette, de eigenaar van het landgoed, was een vriendelijke, grijzende man die als kind al een enorme voorliefde voor paarden had. Hij had van zijn hobby zijn werk gemaakt en handelde nu in dure sportpaarden en reisde daarvoor de hele wereld af. Zijn vrouw, Marie-Louise de la Fayette, was een knappe, stijlvolle vrouw die haar tijd verdeelde tussen het uitbaten van de manege en de zorg voor hun twee kinderen: de oudste, zoon Olivier (die volgens zijn ouders liever lui dan moe was) en hun oogappel, de bijna zestienjarige Marie-Claire (voor wie ze allebei een toekomst in de paardensport droomden).

Marie-Claire de la Fayette was knap, mooi, blond, rijk en populair. Ze had als jonge tiener heel wat jumping toernooien gewonnen, en nu wilde ze niets liever dan de beroemdste amazone van het land worden. Ze vond van zichzelf dat ze ontzettend knap en getalenteerd was; ze droeg steeds de laatste mode en zodra zij iets had, wilden al haar vriendinnetjes hetzelfde hebben. Logisch natuurlijk, want niemand had een betere smaak dan zij. Ze was de absolute 'Queen' van de manege. Tja, wie wilde niet zijn zoals zij? Maar ze had ook haar minkantjes. Marie-Claire kreeg altijd graag haar zin, ze was verwend, egoïstisch, arrogant en ze kon liegen als de beste. Zo vertelde ze aan iedereen die het horen wilde dat ze ooit het hoofd op hol had gebracht van de Engelse prins William, terwijl ze hem tijdens een bezoekje aan Londen alleen voorbij had zien rijden in een auto. Niemand durfde haar woorden in twijfel te trekken en daarom verwachtte iedereen van Marie-Claire dat ze ooit zou trouwen met een beroemdheid.

Samen met haar twee beste vriendinnetjes - Hedwig en Chanel, die net als zij paardreden - had ze een meidenclubje, de Z-Girls, waar iedereen wilde bijhoren. Om te tonen dat ze bij elkaar hoorden, droegen de Z-Girls bij hun afspraakjes ook telkens hetzelfde elegante roze rijjasje met daarop de naam van hun clubje, een ontwerp van Marie-Claire natuurlijk.

Marie-Claire stond ongeduldig voor het huis op Hedwig en Chanel te wachten. Ze hadden afgesproken om twee uur en Marie-Claire hield niet van mensen die te laat kwamen, zeker niet als die mensen hàar lieten wachten.

Toen ze stipt op tijd motorgeronk hoorde, glimlachte ze tevreden. Een zwarte Hummer reed tegelijk met een scooter de oprijlaan naar het huis op. Ze keek op haar dure polshorloge en begon luidop af te tellen. "10, 9, 8, 7..."

Bij '3' sprong Chanel van haar scooter en rende haastig het grasperkje over. Chanel was altijd het kneusje van de klas geweest. Sinds ze echter in de gunst was gevallen bij Marie-Claire en toegelaten was tot de Z-Girls, werd ze door de andere meisjes van de klas afgunstig bekeken. Chanel was altijd een beetje bang dat Marie-Claire haar weer zou laten vallen, en deed daarom altijd haar uiterste best om aan de verwachtingen van Marie-Claire te voldoen. "Ben ik nog op tijd?" vroeg ze zenuwachtig.

"Je bent om precies te zijn tien seconden te laat," glimlachte Marie-Claire beminnelijk. Ze spiedde boos naar de auto die met draaiende motor op de oprijlaan stilstond. Hedwig stapte zoals altijd pesterig traag uit en liep op haar dooie gemak op haar vriendinnen af. Marie-Claire kon haar wel wurgen, maar daar paste ze wel voor op: Hedwig was het enige meisje dat van thuis uit even rijk was als zij. Als er één persoon was die haar van de plaats van populairste meisje kon stoten, was Hedwig het wel, dus ze hield haar maar beter te vriend.

"En jij bent veel te laat!" beet Marie-Claire haar toe.

"Hello girls!" glimlachte Hedwig helemaal niet van haar stuk gebracht.

De vriendinnetjes gaven elkaar drie luchtzoenen. Marie-Claire troonde haar vriendinnen mee naar de stallen. Bij een van de stallen bleef ze staan en ze wees een bord aan dat boven de staldeur hing. 'Z-Girls' stond er in glinsterende, knalroze letters op geschreven, precies zoals op de rug van hun jasjes.

"Gekregen van mijn papa," zei Marie-Claire trots.

"Ooo!" kreunde Chanel bewonderend. In tegenstelling tot haar rijke vriendinnen had zij het thuis heel wat minder breed en zij kreeg nooit dure dingen.

"Mooi hoor," zei Hedwig droog. "Bijna net zo mooi als mijn nieuwe iPod-tasje." Ze hield hen een piepklein tasje voor. "Drieduizend euro, uit Tokyo. Met de hand gemaakt én met echte kristalletjes!"

Marie-Claire was stikjaloers, maar ze zorgde er wel voor dat niemand het merkte.

"En ik heb voor jullie ook iets meegenomen..." Hedwig gaf Marie-Claire een doosje met koekjes.

Chanel keek er gretig naar, maar Marie-Claire haalde haar neus op en voederde de koekjes achteloos aan het paard in de stal. "Bah, amandelkoekjes. Ik hoop maar dat je iets beters bedacht hebt voor mijn verjaardag. Het wordt echt groots! Top! Mega!" pochte ze.

"Groots?!" Hedwig kon haar woede nauwelijks verstoppen. "Ik had ooit een stinkend rijke vriendin en die gaf aan haar beste vriendin, aan mij dus, een reisje naar Amsterdam! Shoppen!"

Marie-Claire kneep haar lippen tot een lange, dunne spleet van afgunst. Hoe kon ze hier tegenop?

"Pff," zei Chanel stouter dan ze bedoeld had. "Holland! Kaas en klompen kopen!"

"Wat weet jij nou van Amsterdam!" snauwde Hedwig.

"Ja! Domkop!" zei Marie-Claire terwijl ze iets probeerde te bedenken om Hedwig te overtroeven. "Maar niet zo leuk als New York! Ik ga voor mijn verjaardag shoppen in New York. En jullie mogen mee!"

Een slanke jongen met rood, warrig krulhaar liep haastig op hen af: Jan, de stalknecht.

"Marie-Claire, heb je even?" onderbrak hij haar. "Er is een probleem met Amika!"

Zodra Marie-Claire de naam 'Amika' hoorde, draaide ze zich met een ruk om. Ze trok Jan met zich mee, weg van haar vriendinnen.

"Hoe durf je het over Amika te hebben in het bijzijn van de

Z-Girls!" siste Marie-Claire boos. "Amika bestaat niet meer. Goed begrepen?"

Jan haalde zijn schouders op. De Z-Girls konden hem geen haar schelen en Marie-Claire zo mogelijk nog minder. Maar Amika wel en het ging helemaal niet goed met hem. "Dit gaat echt niet langer zo," ging Jan onverstoorbaar verder. "Als hij straks uitbreekt, hebben we een groot probleem!"

Marie-Claire werd wit van woede. "Jij zorgt ervoor dat hij niet kan uitbreken en de rest lossen wij wel op," siste ze, waarmee ze zichzelf en haar moeder bedoelde.

Jan schrok. Wat waren ze van plan met het paard? Wilden ze hem laten inslapen? Na alles wat er in het verleden gebeurd was, stond Jan van niets meer versteld. "Je bent toch niet van plan om…"

"Dat zijn mijn zaken!" snauwde Marie-Claire. "Of moet ik mijn moeder erbij halen?"

"Neen," zei Jan smalend. "Aan één de la Fayette heb ik meer dan genoeg." Hij draaide zich boos om en beende met grote passen weg.

's Avonds begon Marie-Claire tijdens het eten over haar verjaardag die al over enkele dagen was. Ze werd maar één keer zestien, dus verdiende ze iets megagroots vond ze. En als ze haar vader op de juiste manier aanpakte, kreeg ze alles wat ze wilde.

"Ik heb eens nagedacht over wat ik wil voor mijn verjaardag," zei ze poeslief tegen hem. "Ik wil voor een weekendje naar New York met de Z-Girls!"

Herbert de la Fayette keek zijn dochter verrast aan. Marie-Claire deed alsof ze het niet merkte en begon een lijst op te sommen met spullen die ze naast het reisje naar New York, ook nog graag wilde hebben (een pocket-pc, roze laarzen, een horloge met diamantjes…). Tenslotte werd je maar één keer zestien. Maar deze keer reageerde haar vader anders dan ze verwacht had…

"Schatje, vorig jaar heb je Amika gekregen," zei hij toen ze eindelijk klaar was met haar opsomming van cadeautjes. "Zorg eerst dat je een wedstrijd wint met dat paard, en dan praten we verder."

Marie-Claire keek beteuterd maar ze liet zich niet van haar stuk brengen. "Eh, daar wou ik het net over hebben..." zei ze. "Ik vind Amika niet zo'n goed paard..."

Haar moeder verslikte zich bijna in een stukje kreeft.

"Amika is het duurste paard dat we hebben!" antwoordde haar vader verbaasd.

"Marie-Claire, help je me even?" kwam haar moeder snel tussenbeide. Ze stond op van tafel en sleurde Marie-Claire met zich mee.

"Wil jij je mond houden over Amika?" siste ze toen ze ver genoeg van de tafel waren. "Je vader weet niet dat jij niet meer op Amika rijdt! En hij weet nog veel minder dat we dat paard in de oude stal hebben gezet. Besef jij wel hoeveel jouw vader heeft betaald voor dat paard? En jij bent zelfs niet in staat om er te blijven opzitten!"

Marie-Claire keek beteuterd naar de grond. Ze had Amika voor haar 15de verjaardag gekregen. Het was de bedoeling geweest dat ze met hem wedstrijden zou gaan rijden. Maar binnen de kortste keren had ze het paard helemaal verpest. Amika was onhandelbaar en agressief geworden en hij had haar keer op keer uit het zadel geworpen. Om aan niemand te moeten toegeven dat ze het dure sportpaard niet de baas kon, had haar moeder Amika weggebracht van de manege. Nu stond hij opgesloten in een oude, donkere stal buiten de muren van de manege, op een plek waar bijna niemand kwam. Alleen Jan was op de hoogte. Hij moest voor het paard zorgen en er vooral over waken dat niemand de waarheid zou ontdekken. Haar vader mocht nooit te weten komen wat er met Amika aan de hand was, en al zeker niet dat het haar schuld was dat Amika onhandelbaar was geworden. Hij was zo gek op paarden dat hij nooit zou begrijpen wat ze met Amika gedaan had. Ze wist zeker dat hij het haar nooit zou vergeven. Dus hield ze de rest van de avond haar mond over Amika en over haar verjaardag. Maar ze was vastbesloten: ze moest en ze zou gaan shoppen in New York. Wat zou Hedwig anders van haar denken? Nee, zij, Marie-Claire de la Fayette, ging naar New York. Het zou vast jaren duren voor Hedwig iets even duurs of indrukwekkends kreeg. Ze moest alleen nog een manier bedenken om haar vader te overhalen...

Gezocht: stalhulp

Toen Merels papa 's avonds terug opdook uit zijn knutselkamer, zweeg Merel in alle talen over baantjes en paarden en ook hij raakte het onderwerp niet meer aan. Maar voor Merel in bed kroop, pakte ze het fotoalbum dat ze in een doos op haar kamer bewaarde. Ze bladerde traag door het oude boek en keek met tranen in de ogen naar de foto's. Het waren foto's uit Merels kleutertijd, toen haar mama er nog was. Merel staarde naar een foto waarop haar mama lachend poseerde samen met haar lievelingspaard. Ze zag er zo gelukkig uit...
Merel haalde de verfrommelde jobaanbieding onder haar hoofdkussen vandaan. Ze las de advertentie nog een keer. Gezocht: stalhulp op De Paardenhoeve...
Merel was dol op paarden. Altijd al geweest, zolang ze zich kon herinneren. Als ze een paard zag en haar papa was niet in de buurt, dan ging ze altijd dag zeggen. Paarden waren zo zacht en lief en ze roken zo heerlijk. Het liefst wilde ze net als haar mama een eigen paard hebben en zelf gaan paardrijden, maar die droom zou natuurlijk nooit uitkomen. "Papa vindt het nooit goed, werken met paarden..." zei ze luidop. Ze keek in de lachende ogen van haar mama die haar van op een foto aan de muur aankeek. "Maar eigenlijk is het wel heel leuk, hé. Och mama, moest je nu gewoon even kunnen knikken of zo, dan zou ik het tenminste durven doen!"
Merel zuchtte en dook onder de dekens. In het zwakke maanlicht dat door het dakraam naar binnen scheen, keek ze naar de foto aan de muur. En even leek het alsof haar mama naar haar knipoogde. Merel wreef verward in haar ogen. Had ze het goed gezien? Ze tuurde ingespannen naar de foto. Haar mama keek haar met haar eeuwige lach aan. Knipogen deed de foto natuurlijk niet meer, dat had ze zich vast ingebeeld. Maar toch liet de idee te gaan werken op een manege haar niet los.

Haar besluit stond vast toen ze de volgende ochtend opstond: ze wilde dat baantje op de manege echt graag. Ze trok haar stoute schoenen aan en stapte naar de knutselkamer. Daar hing een groot papier op de deur: Niet storen. Door de deur kwam het kabaal van getimmer en gezaag dat overstemd werd door luide muziek.

"Papa?" riep Merel achter de gesloten deur. "Ik wilde het nog even hebben over dat baantje!"

"Ha, heb je iets gevonden?"

Merel voelde de moed in haar schoenen zinken. "Wel..." zei ze aarzelend, "het is in de buitenlucht, dus het is heel gezond en met veel beweging..." Ze slikte even en zei toen zo zacht dat hij het amper zou horen: "Op de manege..."

"O! Oké!" riep haar papa boven het gejengel van de radio uit.

Merel maakte zich snel uit de voeten, al wist ze dat hij haar laatste woorden niet begrepen had. Ze sprong op haar fiets en fietste naar het adres op de advertentie.

De Paardenhoeve

Merel keek bij het landgoed van de la Fayettes haar ogen uit. Het statige landhuis en de gebouwen van de manege ernaast, het perfect gemaaide gazon, de bloeiende rozenstruiken eromheen, de brede oprijlaan met de toegangspoort en daarboven in gietijzeren letters 'De Paardenhoeve': het was allemaal even indrukwekkend en mooi. Ze liet haar fiets achter en liep door de verschillende stalgangen. Enkele paarden staken hun hoofd naar buiten en bij elk paard bleef Merel even treuzelen om ze te strelen. Wat moest het leuk zijn om hier elke dag te zijn! Toen ze door alle stalgangen heen gelopen was (en minstens tien keer had gestopt om een paard te strelen), had Merel nog niemand gezien. Achter de gebouwen lagen de weiden en de oefenpistes. In de verte zag ze beweging: bij een van de pistes stonden mensen.

Marie-Claire baalde. Met tegenzin deed ze haar rondjes. De zwarte merrie waarop ze reed, was veel te mak naar haar zin. Gelukkig ging het paardrijden haar beter af dan Chanel. Die hotste in dezelfde piste rond en kreeg daarbij voortdurend commentaar van haar moeder die vond dat ze er niets van terechtbracht. Hedwig stond langs de kant toe te kijken.
"Ik snap niet wat je met die knol moet," zei Hedwig toen Marie-Claire zich met een chagrijnig gezicht uit het zadel liet glijden. "Je hebt Amika toch? Als mijn vader mij zo'n paard zou geven, dan wist ik wel waarop ik zou rijden."
"Verandering kan geen kwaad!" zei Marie-Claire snel. Ze wilde niet dat Hedwig ooit te weten zou komen dat ze niet *kon* rijden op Amika. Hedwig zou haar zo hard uitlachen dat ze het nooit te boven zou komen en ze zou het vast aan iedereen doorvertellen.
"Oké," grijnsde Hedwig. "Ik heb trouwens groot nieuws... Casper is terug!"
"Casper?" gilde Marie-Claire. "Dat meen je niet!"

Hedwig knikte. "Om tien uur is hij hier!"

Marie-Claire was in alle staten. Ze was al een tijdje stapelverliefd op Casper, de hoofdtrainer van de manege, van wie ze alle drie paardrijles kregen. Casper was alles wat ze zich droomde bij de ideale vriend: hij was knap en razend populair bij de meisjes, hij was altijd perfect gekleed en hij reed in een ontzettend coole rode cabrio. Marie-Claire diepte haar eyeliner uit haar tasje op en begon zich op te tutten, net toen Merel naar het groepje kwam toe gestapt.

"Hallo!" zei Merel. "Ik ben Merel..."

Marie-Claire draaide zich geïrriteerd om en nam Merel in zich op. Wat zag dat meisje er sjofel uit! Ze walgde van de zelfgebreide muts die Merel op haar hoofd had, haar groene jasje en het goedkope handtasje.

"Ik kom voor de advertentie," zei Merel omdat geen van de meisjes iets terug zei.

"O, dat verklaart veel!" zei Marie-Claire, die zich nooit inliet met meisjes die zo fout gekleed waren als Merel. "Je moet naar de kantine en vragen naar mevrouw de la Fayette. Hier rechtdoor en dan naar rechts..."

"Bedankt, tot later!" Merel liep snel verder terwijl Marie-Claire zich verder optutte.

Gelukkig had Merel de kantine snel gevonden. Het gebouw lag vlak bij een grote parking achter het huis en op het terras ervoor stonden houten tafeltjes en stoelen te wachten op klanten. Nu was er echter nog niemand en de parasols stonden nog allemaal dichtgeklapt. De deur was los en Merel liep naar binnen. Naast de toog stond een grote, glazen prijzenkast die propvol stond met blinkende bekers en trofeeën. Daartussen prijkten foto's van het meisje dat ze daarnet buiten had gesproken.

Zonder dat ze het merkte kwam Marie-Louise de la Fayette naar binnen. "Mijn dochter Marie-Claire," zei ze trots. "Is ze niet prachtig? En ja al die trofeeën heeft zij gewonnen. Ze wordt de beste amazone van het land. Hallo, ik ben mevrouw de la Fayette, al 25 jaar de gerante van de Paardenhoeve." Ze stak glimlachend haar hand uit naar Merel.

"Merel De Ridder," stelde Merel zich voor.

"En jij rijdt ook paard?" vroeg mevrouw de la Fayette.

Merel schudde haar hoofd. "Ik kom voor de advertentie in de krant."

"Ha!" glimlachte mevrouw de la Fayette. Om Merel te tonen wat het werk precies inhield, nam ze haar mee voor een rondleiding door de manege. Bedeesd liep Merel achter de deftige vrouw aan. Ze voelde zich niet erg op haar gemak bij mevrouw de la Fayette, die er in haar rode leren jasje en haar strakke jeansbroek meer uitzag als een fotomodel dan als iemand die een manege had. Maar ze luisterde aandachtig naar alles wat ze over de paarden vertelde - welke stamboom ze hadden, voor welke disciplines ze geschikt waren, hoe duur ze waren.

Merel was erg onder de indruk van alles wat ze zag en ze keek haar ogen uit. Ze had nog nooit zoveel paarden bij elkaar gezien. Het moest een droom zijn om hier de hele tijd te zijn.

"De beste sportpaarden van het land staan hier bij elkaar!" zei mevrouw de la Fayette. Ze waren helemaal rond en ze hadden alles gezien wat er te zien was binnen de muren van de manege. "Jij mag best blij zijn dat je hier deel van mag uitmaken!" zei ze trots.

Merel keek mevrouw de la Fayette ongelovig aan. Had ze het goed gehoord? "Wie ik?" vroeg ze verbaasd. Merel had gedacht dat mevrouw de la Fayette haar te jong zou vinden, of iets anders op haar aan te merken zou hebben. Nooit was het in haar hoofd opgekomen dat ze het baantje ook echt zou krijgen.

"Ja jij, wie anders?"

Merel twijfelde. Ze wilde zo graag ja zeggen, het leek haar zo leuk om hier te werken, maar wat dan met haar papa? Ze wist hoe hij over paarden dacht. Sinds haar mama gestorven was, haatte hij paarden...

Merels mama was dol geweest op paarden. Meer nog: paarden waren haar passie, ze kon niet leven zonder. Merels ouders hadden elkaar zelfs leren kennen op de manege. Haar mama was een beroemde amazone geweest en ze had een pak medailles en bekers gewonnen met wedstrijden. Toen Merel pas zes was, maakte haar mama tijdens een springwedstrijd echter een dodelijke val met haar paard. Sinds die dag wilde haar papa niets meer met paarden te maken hebben. Hij was zo bang dat Merel hetzelfde zou overkomen, dat hij Merel verbood om zelfs maar in de buurt van een paard te komen. Hij zou nooit toestaan dat ze hier werkte. Ze herinnerde zich wat hij de dag ervoor had gezegd. "*Werken in een manege? Geen denken aan!*" had hij geroepen. Als hij het te weten kwam, zou hij woest zijn. Ze zou het in ieder geval moeten verzwijgen. Ze zou moeten liegen tegen hem. Was dit wel goed? Eigenlijk niet, wist ze diep van binnen. Liegen was niet oké. Maar ze wilde het zo graag. Een baantje als dit zou ze nooit meer vinden. Het was een buitenkansje. Een buitenkans die ze niet wilde laten schieten.

Mevrouw de la Fayette werd ongeduldig omdat Merel zo lang twijfelde. Ze keek ongeduldig op haar horloge. "Dus je neemt de job?" drong ze aan.

Merel moest een beslissing nemen. "Ja," zei ze aarzelend. Ze kon het tenminste proberen. Wie weet, misschien beviel het werk haar zelfs helemaal niet?...

"Mooi!" Mevrouw de la Fayette duwde Merel zonder veel omhaal een werkpak in de handen. "We hebben veel rijke klanten en die houden zich niet bezig met het vuile werk. Alles moet piekfijn in orde zijn!" Ze sloeg een staldeur open, gaf Merel een riek om de stal uit te mesten en liet Merel zonder verdere uitleg aan haar lot over.

Een leuk snoetje

Olivier de la Fayette, Marie-Claires één jaar oudere broer, werd onder luid gekreun wakker. Hij had de vorige avond tot in de vroege uurtjes gefeest met zijn vrienden en zijn hoofd barstte van de pijn. Hij opende eerst zijn ene oog en dan zijn andere en bekeek lui de puinhoop in zijn slaapkamer. Overal lagen verfomfaaide kleren, lege cd-doosjes en resten van eten, maar de rommel kon Olivier niets schelen. Opruimen deed hij nooit. Er was altijd wel iemand die de boel uiteindelijk aan de kant deed. En als zijn moeder het niet deed of de huishoudster, dan vond Olivier zelf wel iemand om het voor hem te doen. Rijk en knap en populair zijn, was superhandig. Olivier krabde door zijn warrige, zwarte haar en keek slaperig rond. Waar was zijn jeans gebleven? Te lui om te zoeken, trok hij de eerste de beste broek aan die hij kon vinden. In een roodwit gebloemde zwemshort hobbelde hij zijn kamer uit. Geërgerd ging Olivier op zoek naar zijn moeder. Als er iemand wist waar zijn lievelingsbroek gebleven was, was zij het wel. Totaal ongegeneerd liep hij in zijn onderhemdje en op blote voeten naar buiten. Zijn moeder was niet in huis, dus moest ze wel op de manege zijn. Geïrriteerd liep hij langs de stallen.
Merel, die net met haar eerste volle kruiwagen de stal uitkwam, botste hard tegen hem aan. Ze schrok zich een hoedje toen zag dat ze tegen een jongen in ondergoed was aangereden.
"Sorry…" excuseerde ze zich. Haar ogen werden als magneten naar de gebloemde short getrokken.
"'t Is niks, hoor," zei Olivier. Nieuwsgierig bekeek hij Merel en haar gebreide muts. "Jij bent nieuw hier?"
"Ja… ik ben Merel." Merel stak beleefd haar hand naar hem uit.
"Ik ben Olivier, maar zeg maar Oli," grijnsde Olivier. Olivier had een zwak voor meisjes en hij maakte er een erezaak van om zoveel mogelijk meisjes te versieren. "Mooie overall trouwens!" Hij wees naar het veel te grote werkpak dat Merel

van zijn moeder had gekregen en dat als een aardappelzak om haar heupen slobberde.

"Niet zo mooi als jouw broek..." zei Merel stuntelig.

Dat had Olivier niet verwacht. Het nieuwe stalhulpje kwam gevat uit de hoek! Meestal begonnen meisjes te stotteren of vielen ze in katzwijm als hij tegen hen praatte. Maar deze meid was duidelijk niet zo snel van haar stuk gebracht. En ondanks dat vreselijke werkpak mocht ze er best wezen. Olivier glimlachte van zijn ene oor tot aan het andere. Zou ze te versieren zijn?...

Marie-Claire had Chanel aangepord om vroeger dan anders met de training te stoppen. Ze wilde op tijd zijn om Casper te zien. Nadat ze hun paarden teruggebracht hadden naar de stal, stonden ze op de parking ongeduldig op hem te wachten. Zodra ze zijn rode cabrio in het oog kregen, spurtten Hedwig en Marie-Claire ernaartoe. Chanel volgde in hun kielzog. Casper kon haar weinig schelen, maar dat durfde ze aan Marie-Claire en Hedwig niet toe te geven.

"Casper!" kirde Hedwig. "Hoe was het in Engeland?"

"Hi girls!" grijnsde de vlotte kerel die achter het stuur van de auto zat. "Very nice!" De meisjes drumden om hem heen toen hij als een echte James Bond uit de auto wipte. Maar Caspers aandacht werd door iets anders getrokken. Marie-Claire draaide zich geërgerd om. Ze zag haar broer bij de buitenste stallen staan praten met het nieuwe stalhulpje met de foute kleren. Ze schudde meewarig haar hoofd. "Olivier jaagt ook op alles, hè," zei ze minachtend.

Maar Casper bekeek Merel wat aandachtiger. "Die meid heeft anders wel een leuk snoetje," zei hij bedachtzaam.

De ogen van Marie-Claire vernauwden zich tot spleetjes. Dat Olivier geïnteresseerd was in een stalmeid kon haar niet schelen. Maar Casper? Dat was een heel andere zaak... Daar zou ze een stokje voor steken. Die nieuwe stalhulp moest weg, en snel ook. En ze wist al precies hoe ze dat zou aanpakken...

De geheime stal

Merel duwde de volle kruiwagen over het aarden pad naar de mesthoop. Ze stak haar neus in de lucht en snoof diep. Het rook hier heerlijk. Het was nog niet eens middag maar de zon stond al hoog aan de lucht. Ze kon de zwoele geur van de weides ruiken. Een frisse geur van gras en bloemen vermengd met iets anders, de zware, zoete geur van paarden waar ze zo van hield. En het was hier zo mooi! Merel was even gestopt bij een van de buitenweides waar een voskleurige merrie stond te grazen. Ze kon hier wel de hele dag blijven rondhangen. Toen ze verder liep naar de mesthoop werden de geluiden van de manege langzaam opgeslokt door het zachte geruis van de wind in de bomen rond het pad. Zwaluwen tsjilpten hoog in de lucht en bijen en insecten zoemden van de ene bloem naar de andere. Zalig... Merel schrok plots door een heftig geluid. Het was een paard dat hinnikte, niet zacht, maar fel en paniekerig. Merel bleef staan waar ze stond en keek verrast rond. Tijdens de rondleiding die ochtend had mevrouw de la Fayette niet gezegd dat er zo ver van de manege ook nog paarden stonden.

Merel ontdekte al gauw waar het geluid vandaan kwam: even verderop stond een bouwvallige houten stal een eindje van het pad vandaan. Het paard in de stal hinnikte hysterisch en stampte hard met zijn hoeven tegen de staldeur. Bij de stal hing een bord met 'Verboden toegang voor onbevoegden' erop. Maar Merel was te nieuwsgierig. Ze liep aarzelend in de richting van de stal. Er was duidelijk iets aan de hand met het paard. Toen ze bijna dicht genoeg bij de stal was om door een kier in het hout naar binnen te kijken, gaf ze een gilletje toen iemand plots een hand op haar schouder legde. Merel draaide zich geschrokken om en keek recht in de boze ogen van mevrouw de la Fayette.

"Wat ben jij van plan?" siste die kwaad. "Kun je niet lezen?" Ze wees naar het bord met 'Verboden toegang' erop. Het paard in de stal hinnikte wild.

"Sorry," stamelde Merel, "ik hoorde een paard en dacht dat..."
"Hier staat geen paard, begrepen?" snauwde mevrouw de la Fayette, terwijl het heel duidelijk was dat er wel een paard in de stal stond. "Dit kan je je baan kosten, meisje! Hop! Ga nu maar!"
Merel begreep er niets van, maar de ijskoude blik in de ogen van mevrouw de la Fayette zei alles. Ze duwde de kruiwagen snel verder naar de mesthoop. In het teruggaan hoorde ze het paard nog steeds tegen de staldeuren stampen, maar ze negeerde het en haastte zich terug naar de manege.

Marie-Claire stond van op een afstand toe te kijken hoe Merel bij de stallen bezig was. Ze begreep niet wat Casper in haar zag, maar omdat ze gevaarlijk kon zijn, moest ze van haar af. En daar had ze het perfecte plannetje voor bedacht. Ze zou er voor zorgen dat Casper boos werd op Merel, dat hij haar helemaal niet meer zo leuk vond. Marie-Claire haalde een potje zadelwas uit de stallen, schepte het leeg en vulde het lege potje met een stinkende crème. Dat zou die Merel wel leren...
Met het potje stinkende crème achter de rug, liep ze met Chanel op Merel af. "Je weet wat je te doen staat!" siste ze Chanel toe.
"Dag Merel," zei Marie-Claire vals.
Merel keek verrast op.
"H... heb je de zadels al gepoetst?" vroeg Chanel stuntelig.
"Nee, nog niet," zei Merel.
"Dan zou ik daar maar snel werk van maken," grijnsde Marie-Claire.
Chanel haalde het potje achter haar rug vandaan en gaf dat aan Merel. 'Zadelwas' las Merel. "O, bedankt!" lachte ze.
"En zou je met dat van Casper willen beginnen?" vroeg Marie-Claire. "Hij moet vandaag nog rijden."
Merel trapte in de val. "Ik doe het meteen!" zei ze.
Chanel en Marie-Claire keken Merel giechelend na toen ze naar de zadelkamer liep om het zadel van Casper te halen.
"Zo, die werkt hier morgen niet meer!" fluisterde Marie-Claire tegen Chanel. Ze verstopten zich achter een muurtje en keken toe hoe Merel het zadel van Casper over het hek hing om het te gaan poetsen...

"Ohw, dit stinkt wel heel erg!" dacht Merel toen ze het potje zadelwas openmaakte. De vreselijke geur beet in haar neus en ze liet het potje bijna uit haar handen vallen. Ze kneep haar neus dicht en las wat er op het etiket stond. 'Zadelwas, met een zachte doek inwrijven...' Dat zou ze dan maar doen.

Merel hapte naar adem en duwde een katoenen doek in de stinkende crème. Met halfafgewend hoofd begon ze de walgelijke crème op het zadel te smeren. Ze besefte niet dat ze met open ogen en dichtgeknepen neus recht in de val liep...

Toen ze goed twee minuten bezig was, kwam Casper aangelopen.

"Wie we daar hebben!" grijnsde hij toen hij haar opmerkte. "Ze hebben je meteen aan het werk gezet, zie ik?"

"Ja, ik moet er nog twintig doen," zei Merel met ingehouden adem. Ze durfde niet te diep ademhalen zodat ze niet te veel van de walgelijke geur naar binnen kreeg.

Casper had het nu ook geroken. Hij stak zijn neus in de lucht en snufte in alle richtingen. Hij tilde zijn laarzen op en bestudeerde de onderkant. Was hij ergens ingetrapt? Plots begreep hij dat de walgelijke geur uit de richting van zijn zadel kwam. "Is dat mijn wedstrijdzadel?" brulde hij boos. "Weet je wel wat zo'n zadel kost?"

Merel deinsde geschrokken achteruit. Wat deed ze verkeerd?

"Sorry," stamelde ze, al wist ze niet waarom.

"Waar heb je het mee ingesmeerd?" riep Casper. "Met paardenstront of zo?"

"Nee, met dit..." Merels handen trilden toen ze Casper het potje zadelwas gaf. Ze was zo geschrokken dat ze er liefst meteen vandoor ging.

Casper bestudeerde het potje. Er stond inderdaad 'zadelwas' opgeschreven, al schrok hij van de vreselijke stank. "Hm," zei hij. "Dit is wel het juiste spul. Misschien over datum of zo?"

"Misschien moet je even proeven?" stelde Merel domweg voor.

"Nee, neem maar een nieuw potje," lachte Casper luid. "Eentje dat minder stinkt!"

"Echt sorry hoor," zei Merel. Ze kon wel huilen, zo geschrokken was ze.

"Ach, da's niks meid," zei Casper vriendelijk. "Daar kan jij toch niets aan doen?..." En hij trok Merels muts speels over haar ogen. Merel bloosde toen ze haar muts terug goed zette. Ze gooide het potje stinkende crème in de vuilbak en haalde een nieuw potje. Tot haar grote opluchting rook dat lekker naar boenwas.

Marie-Claire was ziedend van woede. Haar plannetje was mislukt en wat nog erger was: Casper had gelachen om Merel! Hij had haar zelfs aangeraakt! Er moest iets gebeuren. Dit kon niet langer. Casper was van haar en van niemand anders. Merel moest weg! Weg van de manege en weg van Casper. Ze moest een nieuw plan bedenken, eentje dat niet zou mislukken...

Nadat alle zadels opgepoetst waren ging Merel verder met het schoonmaken van de stallen. Niemand had haar gezegd wat ze moest doen, maar in de andere stallen lagen houtkrullen op de grond. Dus haalde ze houtkrullen en strooide die over de vloer van de stal. Ze was bijna klaar toen Chanel haar hoofd om de deur stak.
"Wat doe je!" riep Chanel. "Houtkrullen in de stal van de Arabieren? Je moet hooi gebruiken!"
Merel schrok. Dat wist ze helemaal niet. "Wil je alsjeblieft niets aan mevrouw de la Fayette zeggen?" vroeg ze, bang dat ze ontslagen zou worden.
"Ons geheimpje," zei Chanel. En ze maakte zich uit de voeten.
Merel schepte haastig het grootste deel van de houtkrullen weg, haalde hooi uit de hooischuur en bestrooide daar de stalvloer mee. Ze was bijna klaar toen mevrouw de la Fayette een kijkje kwam nemen. Die werd vuurrood toen ze zag wat Merel aan het doen was.
"Waar ben jij in godsnaam mee bezig?" zei ze toen ze het hooi op de vloer van de stal zag. "Dit is voederhooi! Dit dient om te eten, niet om de vloer mee te bedekken!"
Merel werd lijkbleek. Hoe had ze zo dom kunnen zijn? De waarheid drong tot haar door: Chanel had het express gedaan... Merel kreeg een krop in haar keel. Waarom had ze dat gedaan? Wat had zij Chanel misdaan?
"Het spijt me echt verschrikkelijk," stamelde Merel. "Ik beloof dat het niet meer zal gebeuren!"

"Dat zal inderdaad niet meer gebeuren," zei mevrouw de la Fayette. "Je bent ontslagen!"

Merel keek ontzet. "Alsjeblieft, geef me nog een kans?" smeekte ze. Ze wilde helemaal niet weg, ze had het enorm naar haar zin hier bij de paarden.

Maar mevrouw de la Fayette was vastbesloten. "Jij hebt je kans gehad, meisje. Daar is de deur!"

Een nieuwe kans

Merel zette de riek tegen de muur en liep helemaal van slag de stal uit. Even verderop stond Marie-Claire te schaterlachen. Chanel stond erbij en lachte een beetje groen. Merel ontplofte bijna. Wat een gemene streek hadden die twee haar geleverd! En waarom? Wat had zij hun ooit misdaan? Die twee hadden vast alles wat ze maar konden dromen, terwijl dit baantje voor haar erg belangrijk was.

"Vinden jullie dit grappig?" stoomde Merel.

"Sorry," excuseerde Chanel zich, maar ze hield haar mond toen ze van Marie-Claire een stomp kreeg.

"Waarom hebben jullie me verkeerde instructies gegeven?" vroeg Merel boos.

"Omdat ik daar zin in had!" grijnsde Marie-Claire. Zo zat het natuurlijk in elkaar, besefte Merel: niet Chanel maar Marie-Claire zat hier achter.

"Ik ben mijn job kwijt!" zei Merel kwaad.

"Hallo, dat was ook de bedoeling!" grinnikte Marie-Claire vol leedvermaak.

Merel keek haar vernietigend aan. "En jij hebt niets beters te doen..." zei ze ijskoud. Merel wilde zich niet laten kennen. Ze wilde met opgeheven kin wegstappen om te tonen dat ze zoveel sterker was dan Marie-Claire, maar ze gleed uit in een hoopje paardenpoep en viel languit op de keien waarbij ze met haar wang op de grond pletste. Marie-Claire en Chanel gierden het weer uit. Merel werd vuurrood en krabbelde beschaamd overeind. Ze had niet door dat er op haar wang een grote veeg van de vieze troep zat. Zo snel ze kon, liep ze weg van de twee vreselijke meisjes...

Jan kwam op het tumult afgelopen. Hij had een hekel aan Marie-Claire en als ze zoveel plezier had, was er zeker iets mis. Jan zag nog net Merel om de hoek van de stallen verdwijnen. "Wat is hier aan de hand?" vroeg hij. "Wie is dat meisje?"

"Dat is het nieuwe stalmeisje," zei Chanel. "Was!" verbeterde Marie-Claire terwijl ze de tranen van haar gezicht veegde. Voor Jan verder kon vragen, trok ze Chanel met zich mee.

Jan - die Marie-Claire maar al te goed kende - liep geërgerd naar de stal waar Merel de vloer had bestrooid met hooi. Hij pakte wat van het hooi weg en merkte tot zijn verbazing restjes verse houtkrullen.

"Ach, daar ben je!" Marie-Louise de la Fayette kwam de stal in lopen. "Het spijt me, Jan. Je staat er de volgende dagen weer alleen voor. Dat nieuwe meisje was niet geschikt."

"Niet geschikt?" vroeg Jan. "De zadels zijn gepoetst, de voederbakken zijn bijgevuld... normaal doet iemand daar twee dagen over!"

"Ja, en ze legt het voerhooi op de grond!" Mevrouw de la Fayette wees naar de stalvloer.

"Kan het niet zo zijn dat iemand haar verkeerde instructies heeft gegeven?" vroeg Jan.

"Wie dan?" vroeg mevrouw de la Fayette dom.

Natuurlijk kon Jan de dochter van de baas niet gaan beschuldigen, ook al wist hij bijna zeker dat Marie-Claire ervoor had gezorgd dat het nieuwe meisje ontslagen was.

"Wat als ik haar inwerk?" probeerde hij. Jan kon de hulp goed gebruiken.

"Tijdverspilling," zuchtte Marie-Louise.

"Als ze het verknoeit, is het mijn schuld..." drong Jan aan.

Mevrouw de la Fayette twijfelde, maar zwichtte uiteindelijk. "Het is jouw verantwoordelijkheid!" waarschuwde ze hem. "Als zij het verknoeit, vlieg jij ook aan de deur."

Jan knikte.

"Oké, vooruit dan maar," zuchtte ze zeer tegen haar zin. "Maar je zal je moeten haasten want ze is net vertrokken."

Gelukkig was Merel nog niet vertrokken. Toen Jan eraan kwam, stond ze bij de stallen afscheid te nemen van de paarden. De mensen hier zou ze absoluut niet missen, maar de paarden des te meer. Merel wilde zich net omdraaien en botste tegen Jan aan.

"Sorry!" excuseerde Jan zich. "Ik ben Jan."

"Merel," stelde Merel zich voor. Ze keek bedeesd naar de

vriendelijke jongen die ze vandaag al een paar keer in haar ooghoeken had opgemerkt.

"Jij bent dat nieuwe meisje?"

"Ja, vanochtend aangenomen en nu al ontslagen," grapte Merel zuur.

"Dat is een record," lachte Jan terug. "Maar... ik heb goed nieuws voor jou! Je krijgt nog een kans, maar deze keer zal ik je inwerken." Merels hart maakte een sprongetje van vreugde. Dit was super!

"Eh... er zit iets... daar zo..." Jan wees naar de vieze veeg op Merels wang.

Merel werd vuurrood. Ze veegde snel met haar hand langs haar wang, maar ze streek verkeerd.

Jan boog zich naar haar toe en wreef met zijn vinger zacht over de vlek. Merel werd helemaal stil toen ze de hand van Jan tegen haar wang voelde. Haar kaken begonnen te gloeien, ze voelde zich vreemd licht worden in haar hoofd en haar buik kriebelde. Wat gebeurde er? Zo'n gek gevoel had ze nog nooit gehad. Toen Jan zijn hand weghaalde, keek Merel beschaamd naar de grond. Ze wist niet wat ze moest zeggen en er viel een ongemakkelijke stilte.

"Eh... Zal ik je dan nu even tonen wat er allemaal te doen valt?" vroeg Jan stuntelig. Merel knikte en met kloppend hart liep ze met hem mee.

Jan gaf Merel een rondleiding langs de stallen en hij nam daar uitgebreid de tijd voor. Hij wist ongelooflijk veel over de paarden. Hoe oud ze waren, welke wedstrijden ze al gereden hadden, maar ook wat ze wel en niet lustten, of ze humeurig waren of net heel zachtaardig. Merel luisterde geïnteresseerd en ze probeerde alles te onthouden zodat ze de volgende dag geen fouten meer zou maken. Maar Jan stelde haar gerust. Het zou vast allemaal prima gaan, dat had ze vandaag al bewezen.

"Je kunt niet weten hoe blij ik ben dat jij er bent!" glimlachte hij geruststellend.

"Ik ben blij dat ik kan helpen..." zei Merel gemeend.

Gelukkig hoefde ze ook niet alles te onthouden. Jan zou haar de volgende dagen helpen en toen de rondleiding er helemaal opzat, kreeg ze van Jan de lijsten met het voederschema voor de paarden: haar opdracht voor de volgende ochtend. En toen zat haar werkdag erop. Ze mocht naar huis.

Zodra Jan haar alleen had gelaten, bladerde Merel nieuwsgierig door de papieren. Alle namen van de paarden en de stalnummers stonden er netjes in genoteerd, net als de voedertijden en het verzorgingsschema. Ze kon gewoon niet missen. De meeste paarden kende Merel al bij naam. Plots viel haar oog op een doorgestreepte pagina. 'Amika' las ze bovenaan het blad. Vreemd, die naam had ze nog niet gehoord. Was er een paard met die naam? Nieuwsgierig liep Merel naar stal 13 waar het paard zou moeten staan. Ze opende de staldeur. De stal van Amika was leeg…

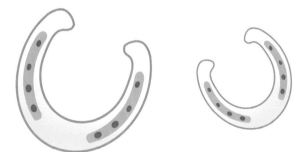

Marie-Claire loopt een blauwtje

Marie-Claire was tevreden. Haar plannetje had perfect gewerkt en haar moeder had Merel ontslaan. Nu Merel weg was, broeide er al een nieuw idee in haar knappe hoofdje. Ze liep nu al een tijdje achter Casper aan maar tot nu toe had Casper niet echt veel interesse voor haar getoond. Het werd tijd dat daar verandering in kwam. Ze was stapelverliefd op Casper en Casper mocht nu ook gaan inzien dat zij de enige was voor hem. Ze kon het absoluut niet hebben dat hij naar andere meisjes keek. Het was tijd voor een nieuw plan: het perfecte plan om het hart van Casper te veroveren. Maar iemands hart winnen, hoe pak je zoiets aan?

Het was uitgerekend Chanel die haar op een schitterend idee bracht. Chanel vertelde iets vaags over de geurtheorie. Ze had ergens gelezen dat mensen en dieren zich tot elkaar aangetrokken voelen door hun geur. Bah, walgelijk vond Marie-Claire. Was er nu iets minder aantrekkelijk dan de geur van zweet? Maar parfum, dat was iets helemaal anders. Casper zou haar vast opmerken aan haar parfum. Tenslotte had zij het duurste parfum dat op de markt te krijgen was. Dat was het! Ze zou Casper verleiden met haar parfum...

Tijdens de avondtraining trok Marie-Claire naar de oefenpiste waar Casper rijles gaf. Ze stuurde Chanel als eerste de piste op om een gesprek met Casper aan te knopen en besproeide zichzelf ondertussen met haar duurste parfum.

Chanel stapte op Casper af. "Dag Casper," zei ze wat stroef. "Wist je dat Marie-Claire het populairste meisje van de klas is? Ze kan elke jongen krijgen die ze maar wil!"

"O ja?" Casper stond ongeïnteresseerd naast haar en had amper gehoord wat ze zei.

"En ze heeft ook zo'n goeie smaak," ging Chanel verder.

"Absoluut," mompelde Casper, tot hij plots Chanel echt opmerkte. "Eh, sorry, maar over wie hebben we het?" vroeg hij verrast.

"Over Marie-Claire?..."

"Juist, ja..." Precies op dat moment kwam Marie-Claire aangewandeld en paradeerde langs Casper.

Casper snoof de parfumlucht op en keek haar verbijsterd na. "Hey!" riep hij haar toe.

"O, Casper!" giechelde Marie-Claire. Haar opzet leek te lukken!

"Ik weet niet of je het weet, maar eh... jij valt nogal op..." begon Casper.

Marie-Claire knipperde flirterig met haar ogen. Zie je wel!

"Je hebt het zelf niet door, nee?"

"Neeh!" loog Marie-Claire.

"Het is echt veel te heftig!" zei Casper.

"O, kun je niet aan me weerstaan?" Marie-Claire straalde. Het was gelukt!

"Ik ben bang van niet," was de koele reactie van Casper. "En ik denk dat de paarden er ook niet tegen kunnen. Je hebt gewoon veel te veel parfum op, meisje!"

Het gezicht van Marie-Claire veranderde in een onweerswolk.

"In het vervolg een beetje minder?" vroeg Casper. "Voor de paarden?" Om zijn woorden kracht bij te zetten, kneep Casper zijn neus dicht en maakte zich uit de voeten.

Marie-Claire was woest. Wat een vernedering! En dat was allemaal de schuld van Chanel en haar stomme geurtheorie! Ziedend van woede beende ze weg. Chanel keek haar verslagen na.

Langs de kant van de piste zat een vreemde jongen met een camera. Gringo, de beste vriend van Olivier, een jongen aan wie Marie-Claire een vreselijke hekel had. Gringo was een beetje een zonderling en door zijn zwarte piekhaar en zijn altijd zwart bijgeschilderde ogen zag hij eruit als een vampier, vond ze. Bovendien sloop hij altijd rond op de manege en dook overal op met een videocamera. Marie-Claire kon hem niet hebben en niet in de laatste plaats omdat hij de vriend van haar gestoorde broer was. Toen Marie-Claire hem net nu, na haar afgang bij Casper, met zijn eeuwige camera zag zitten, liep ze recht op hem af. Hij had natuurlijk weer alles zitten filmen zodat Olivier haar later nog een keer kon uitlachen. "Weg jij, creep!" blies ze woest. Ze gaf een geweldige zwaai met haar handtasje en mepte tegen de camera die daardoor hard tegen Gringo's oog terechtkwam. Kwaad stoomde ze weg. Gringo keek haar verbijsterd na. Chanel, die Gringo eigenlijk wel lief vond, glimlachte gegeneerd en ging toen achter haar boze vriendinnetje aan.

Bij het avondeten was Marie-Claire nog steeds in een rotstemming. Tot haar grote ergernis zat Gringo (met een enorm blauw oog dat hij te danken had aan het tasje van Marie-Claire) mee aan tafel en bovendien was haar vader er niet: hij was naar Australië gereisd om paarden te kopen. Tot overmaat van ramp had haar moeder macrobiotisch gekookt (paardenbloesem met boterbloempjes, gefrituurde zeekraal met knolselderpuree en geblancheerde vis), wat alleen Gringo lustte.

Toen haar vader belde, deed Marie-Claire een nieuwe poging om hem te overhalen om haar en de Z-Girls te trakteren op een reisje naar New York. Maar ze ving bot: het antwoord was onverbiddelijk nee en het bleef nee. Er kwam geen reisje naar New York.

Marie-Claire was zwaar ontgoocheld. Waarom gunde haar papa haar dit niet? Dit ene kleine ding? En wat zou Hedwig wel niet van haar denken? Hedwig zou haar ongelooflijk uitlachen als ze de waarheid wist en zij kreeg vast een supercadeau met haar 16de verjaardag. Nee, ze moest een smoes bedenken en liegen.

Toen ze later die avond met Hedwig en Chanel belde, begon Hedwig natuurlijk weer onmiddellijk over het reisje naar New York. Marie-Claire had er de pest in, maar ze moest haar het slechte nieuws wel vertellen.

"Eh, het gaat niet door," zei ze snel. "Ik moet nog veel trainen voor de komende wedstrijden," verzon ze als excuus.

Hedwig begon een hele preek dat ze speciaal voor het reisje nieuwe koffers had gekocht en wat ze daar nu mee aan moest en zo verder.

Marie-Claire wilde het niet horen. De koffers van Hedwig konden haar gestolen worden. "Ik heb helemaal geen tijd om naar New York te gaan!" zei ze vastbesloten. "Maar ik geef wel een megagroot feest," voegde ze er trots aan toe.

"Als dat maar doorgaat…" sneerde Hedwig, die best wel kon raden hoe de vork in de steel zat.

Dat het feest zou doorgaan en wel precies zoals zij het wilde, daar zou Marie-Claire werk van maken zodra haar vader terug was van zakenreis. Maar deze keer moest ze het nog sluwer aanpakken, wist ze. Ze wilde echt geen tweede keer afgaan bij haar vriendinnetjes…

Verliefd

Toen Merel 's avonds thuiskwam, was de deur naar de knutselkamer van haar papa net zoals die ochtend gesloten. Ze hoorde hem timmeren en kloppen en ze wilde de kamer ingaan. Maar zodra hij merkte dat Merel er was, gooide haar papa een laken over zijn werk zodat ze niet zag waar hij mee bezig was.

"Wat is dat?" vroeg Merel nieuwsgierig. Onder het laken was de vorm van een groot, vierkant ding zichtbaar. Het leek een beetje op een kast. "Is dat voor mijn verjaardag?" vroeg ze. Ze wilde dolgraag weten wat het was.

"Neuh...!" zei haar papa. "Dit is een soort nieuwe uitvinding, een eh..."

"Een uitvinding," grijnsde Merel die wel zag wanneer hij loog.

"Ja," lachte hij. "Top secret!" En hij duwde haar de kamer uit en deed de deur op slot zodat ze niet weer onverwacht kon binnenkomen.

Merel brandde van nieuwsgierigheid. Ze probeerde langs het raam naar binnen te kijken en door het sleutelgat, maar ze kwam niets te weten. Merel schilde aardappels en begon aan het avondeten.

Het eten was bijna klaar, toen haar papa eindelijk de knutselkamer uitkwam. Hij hield zijn handen geheimzinnig achter zijn rug en liep naar het fornuis waar de kookpotten op het hete vuur stonden. Plots haalde hij zijn handen tevoorschijn. Ze waren helemaal ingesmeerd met een soort groene verf.

"Zie je dat?" zei hij trots. Hij tilde de hete kookpot met zijn blote, groene handen van het vuur en zette hem op tafel. "Hittewerende zalf! Een revolutionaire uitvinding!"

"Ze zijn helemaal groen!" merkte Merel op.

"Ja, ik weet het..." zei hij beduusd. "Dat moet ik er nog proberen uit te krijgen... Maar nu, belangrijke zaken! Hoe was het met je job?"

"Ik ben aangenomen!"

"Ik wist het!" Merel kreeg twee stevige zoenen waarbij op elke wang een flinke veeg van het groene spul achterbleef. "Enne, wat voor werk is het?"

"Het is in een eh… mmm… in een winkelcentrum!" loog Merel.

"In een mmmm-winkelcentrum?" Haar papa keek haar geïnteresseerd aan zodat Merel zou verder praten, maar ze zweeg. Merel schaamde zich. Ze had gelogen. Echt gelogen.

"En? Is het niet te zwaar?" drong hij aan.

"Neeuh…" zei Merel. "Ik heb toffe collega's en de tijd vliegt voorbij!" Dat was niet gelogen, of toch niet helemaal. Haar gedachten dreven af naar Jan en ze staarde dromerig voor zich uit. Weer voelde ze de zachte hand van Jan over haar wang strelen. Automatisch bracht ze haar hand naar haar wang en merkte toen het vettige groene spul op. Met haar blik op oneindig veegde ze de smurrie weg. Er dwaalde maar één naam door haar gedachten. Jan, Jan, lieve Jan… Ze was verliefd, verliefd tot over haar oren.

Haar papa grinnikte toen hij Merel zo in gedachten verzonken zag zitten. "Die collega's van jou zijn precies heel aardig?" zei hij met een knipoog. Hij had wel door dat ze verliefd was.

Merel lachte ongemakkelijk terug. Zag hij dat ze verliefd was? Ze hoopte maar van niet.

Jasmine

Merel vertrok de volgende ochtend meteen na het ontbijt naar De Paardenhoeve. Jan stond haar al op te wachten en maakte haar wegwijs zodat ze geen enkel foutje maakte. En omdat hij voortdurend bij haar in de buurt bleef, beviel het werk haar nog beter. Merel liep op wolkjes, ze had helemaal niet het gevoel dat ze aan het werk was. Jan gaf haar voortdurend complimentjes zodat ze bijna de hele tijd met een knalrood hoofd rondliep. En als hij dicht bij haar stond om haar iets te tonen of haar toevallig aanraakte, kreeg ze kippenvel tot achter haar oren. En hij was zo lief... Merel wist het zeker: ze was smoorverliefd.

Na de middag arriveerde ook Herbert de la Fayette op de manege. Hij was terug van zijn zakenreis met twee nieuwe sportpaarden. Jan stelde Merel aan hem voor.
Meneer de la Fayette keek Merel nieuwsgierig aan toen ze zijn hand schudde. "Jouw gezicht komt me bekend voor," zei hij. "Heb ik jou al eens eerder gezien?"
Merel zei een beetje verlegen dat ze zich dat niet herinnerde en staarde beschaamd naar de grond. Jan merkte dat ze zich geen houding wist te geven en hij vroeg haar of ze de paarden wilde voeren. Merel ging er opgelucht vandoor. Had ze meneer de la Fayette ooit al gezien? Misschien toen ze heel klein was en met haar moeder hier kwam...
Merel was bijna klaar met het voederen, toen ze buiten bij de stallen luide stemmen hoorde. Ze ging nieuwsgierig een kijkje nemen. Jan stond druk te discussiëren met een oudere man in een pak, terwijl een klein meisje heel erg haar best deed om het slot van een van de paardenstallen open te maken.
"Papa, ik wil die!" krijste het kind. "Die is mooi." Merel haastte er zich naartoe om haar tegen te houden. Maar het meisje liet zich door Merel niet afschrikken. Zodra Merel haar probeerde tegen te houden, rende ze naar de volgende stal en begon daar

weer tegen de deur op te springen om naar binnen te kijken.

"Ik wil deze, deze is mooi!" krijste ze opnieuw. Merel keek verward naar Jan. Wat moesten ze doen?

"Papa, ik wil nu een paard!" riep het kind als een echte dwingeland.

"Wel, je hebt het gehoord!" zei de man tegen Jan. "Jasmine wil een paard!"

Jan wist niet wat gedaan. De man, meneer Lodewijks, was een belangrijke zakenvriend van Herbert de la Fayette en Jan had opdracht gekregen om het meneer Lodewijks naar de zin te maken. Maar hij kon hem toch geen paard geven dat van iemand anders was? "Dat gaat zomaar niet," stamelde hij.

"En waarom niet?" zei meneer Lodewijks geërgerd. "Ik ga niet wachten tot morgen, hoor! Ik had een afspraak met Herbert!"

Jan kon meneer Lodewijks en zijn dochtertje toch niet zomaar het eerste het beste paard geven? Jan kon de situatie niet oplossen en probeerde meneer de la Fayette te bellen, maar die nam zijn telefoon niet op. Ondertussen werd meneer Lodewijks ongeduldiger met de minuut. Hij was het helemaal niet gewend om tegengesproken te worden of te moeten wachten, en hij werd hoe langer hoe bozer omdat niet alles meteen gebeurde zoals hij het wilde.

Jan besloot om meneer de la Fayette dan maar zelf te gaan zoeken.

"En wat moet ik ondertussen doen?" vroeg meneer Lodewijks geërgerd.

Jan keek Merel aan. "Wel... eh... u kunt ondertussen genieten van de rondleiding die Merel u zal geven," zei hij.

Merel schrok en ook meneer Lodewijks was niet erg onder de indruk. "Zij? Ik ga mijn tijd niet verdoen met een stalhulp!" zei hij. "Ik had een afspraak met Herbert!"

"Merel weet echt alles over de paarden en hun achtergrond!" zei Jan en hij glimlachte bemoedigend naar Merel. En voor ze er erg in hadden, was hij verdwenen.

Merel kon wel door de grond zakken. Wat nu? Ze werkte hier maar één dag, ze wist amper iets van de manege. Als dat maar goed ging...

Een roze Vespa

Marie-Claire en haar Z-Girls hadden postgevat op het terras bij de kantine. Ze hadden net paardrijles gehad en zo dadelijk zou Casper langskomen om naar huis te gaan. Marie-Claire greep elke kans om Casper te zien aan. En omdat ze moeilijk in haar eentje op het terras kon gaan zitten, moesten Hedwig en Chanel mee.

Olivier en zijn vreselijke vriend Gringo waren er ook. Ze zaten op het terras muziek te draaien. Gringo had al een tijdje een oogje op Chanel, maar omdat hij wist dat de Z-Girls achter Casper aanzaten, vreesde hij dat hij een blauwtje zou lopen bij Chanel. Olivier besloot Gringo een handje te helpen én meteen zijn zus eens flink te pesten. Hij doorzocht zijn cd-bak en haalde er een cd uit die hij in de speler stak. Hippe muziek van Trance Fusion schetterde door de boksen.

"Ken je dit?" vroeg Olivier luid. "De nieuwste Trance Fusion!" Gringo vond de muziek maar niets en trok een lelijk gezicht.

Marie-Claire spitste haar oren. Trance Fusion, daar was Casper een enorme fan van!

"Ligt morgen pas in de winkel!" hoorde ze Olivier zeggen. "Hier plegen de fans een moord voor!" Marie-Claire gaf Hedwig een schop onder tafel. De twee meisjes hadden hetzelfde idee: ze moesten die cd hebben!

Toen het nummer gedaan was, haalde Olivier de disk uit de installatie en stopte hem in een doosje. Wat Marie-Claire en Hedwig niet wisten, was dat hij de cd in het verkeerde doosje deed. Met opzet...

Gringo en Olivier stonden op en liepen naar binnen. Marie-Claire zag haar kans schoon. Ze sprong op en spurtte met Hedwig en Chanel op haar hielen naar het tafeltje van Olivier en Gringo. De cd van Trance Fusion lag voor het grijpen. Marie-Claire griste de cd mee en hield hem als een eretrofee in de lucht. Zodra ze Casper in zijn auto zagen stappen, liepen de drie meisjes joelend naar hem toe.

"Casper!" gilde Marie-Claire. "Ik heb iets voor jou!" Ze zwaaide wild met de cd.

"Voor mij? Wat?" vroeg Casper, klaar om te vertrekken.

"Muziek, ik moest meteen aan jou denken," straalde Marie-Claire. Ze knipperde met haar ogen en hing verleidelijk over de deur van de auto om hem de cd te geven. Casper zou megablij zijn als hij hoorde wat ze voor hem had.

Casper duwde de cd in de speler en zette het volume hoog. Marie-Claire begon al mee te wiegen op de beat. Maar in plaats van de verwachte Trance Fusion schalde er een onnozel kinderliedje door de boxen. "*Gooi je armen in de lucht, ga dan zitten met een zucht...*" Marie-Claire werd eerst lijkbleek en dan vuurrood. Wat moest Casper wel niet denken van haar? Dat ze hem kinderachtig vond en hem belachelijk wilde maken? Wat een afgang was dit!

En dat dacht Casper inderdaad… "Vind je dit grappig?" snauwde Casper nijdig. "Ik niet!" Hij haalde de cd uit de speler, gooide hem in de struiken en gaf plankgas zodat er twee brede bandensporen in het grint achterbleven. Marie-Claire kon net op tijd wegspringen. Ze kon wel door de grond zakken van schaamte.

Gringo en Olivier, die van op het terras hadden staan toekijken, kwamen haast niet meer bij van het lachen. Zelfs Hedwig en Chanel grinnikten luidop toen ze haar ontstelde gezicht zagen.

Marie-Claire was woest. Ze zou dat rotbroertje van haar wel krijgen. "Olivier!" siste ze. "Nu ben je echt te ver gegaan…" Als een woeste heks ging ze achter hem aan.

Olivier probeerde te ontsnappen en vluchtte hun huis binnen, maar Marie-Claire liet zich niet afschudden. Hij verschanste zich achter de zetel en de twee begonnen een wilde rondedans rond de meubels.

"Wacht maar tot ik je te pakken krijg!" blies Marie-Claire. Ze klauwde naar hem, maar Olivier was sneller en trok zich op tijd achteruit zodat ze in het luchtledige greep.

"Dan zul je toch iets sneller moeten zijn," grinnikte Olivier en hij pitste in haar kaak.

"Au!" gilde Marie-Claire. Deze keer had ze beet. Ze trok gemeen hard aan een zwarte haarlok, waarop Olivier haar een flinke duw gaf zodat ze moest loslaten. "Olivier!" krijste ze woest.

Hun vader was boven even op bed gaan liggen om te rusten na de vermoeide reis. Hij werd wakker van het gekibbel en kwam humeurig de trap af gestapt.

"Hé, wat is dit hier allemaal," kwam hij tussenbeide.

Zodra Marie-Claire haar vader in het oog kreeg, pakte ze het slimmer aan dan Olivier.

"Olivier pest mij altijd," snikte ze.

"Maar ik heb niets gedaan!" zei Olivier onschuldig.

"Au!" gilde Marie-Claire vals en ze greep naar haar arm alsof Olivier haar zonet geknepen had.

Olivier keek verbaasd, hij had niets gedaan, maar Marie-Claire begon hartverscheurend te huilen. "Je doet me altijd pijn!" snikte ze.

"Ik deed niets!" riep Olivier.

"Olivier, bied je excuses aan," zei hun vader streng. "Of je blijft een week lang op je kamer." Olivier kon niet anders dan inbinden en sorry zeggen... "Sorry," zei hij zeer tegen zijn zin. Marie-Claire keek hem vals aan. Ze had gewonnen...

"Iedereen is tegen mij!" snikte Marie-Claire nadat Olivier zich uit de voeten had gemaakt.

"Is dat zo?" troostte haar vader. Marie-Claire ging nog harder huilen. Dit was het perfecte moment om haar verjaardag ter sprake te brengen!

"Olivier pest me altijd," snotterde ze, "en Casper ziet me niet meer staan. En ik krijg zelfs geen cadeau meer van jullie."

"Hé, dat heb ik niet gezegd," schrok haar vader. "Ik heb alleen gezegd dat je niet naar New York mag."

"Mag ik dan een feestje? Met alles erop en eraan?" Marie-Claire vleide zich tegen haar vader aan en keek hem extralief aan. De krokodillentranen blonken nog na op haar wangen.

Hij trapte in de val en knikte. Natuurlijk kreeg ze een feestje. "En mag ik overal roze strikken in de zaal? En een roze Vespa met Marie-Claire erop?"

Meneer de la Fayette keek zijn dochter geschrokken aan. Een roze Vespa? "Kun jij nooit eens iets normaals bedenken?" vroeg hij.

"Zie je wel?" gilde Marie-Claire teleurgesteld. "Ik krijg nooit iets van jullie!" Ze sprong recht en stampte boos weg. Ze zou weglopen en nooit meer terugkomen. Dan zou hij wel spijt hebben dat hij niet meer zijn best had gedaan. Nijdig beende Marie-Claire naar buiten. Ze kwam nooit meer terug! Maar na enkele minuten ferm doorstappen was ze al uitgeput. Vol zelfmedelijden liet ze zich tegen een boom zakken. Waarom begreep niemand hoe belangrijk die roze Vespa voor haar was?

Gemengde gevoelens

Meneer Lodewijks leek tevreden met de rondleiding. Merel probeerde zich te herinneren wat mevrouw de la Fayette en Jan haar allemaal verteld hadden en hier en daar verzon ze er zelf wat bij, en het lukte: meneer Lodewijks luisterde geïnteresseerd. Alleen zijn dochtertje Jasmine verveelde zich dood en na een tijdje had ze genoeg van de rondleiding.

"Mag ik dan nu op een paard zitten?" vroeg ze ongeduldig. "Ik ben het beu! Ik wil een paard en deze zijn allemaal lelijk!"

Merel wist niet wat gedaan. "Jan komt er zo aan," beloofde ze en ze deed een schietgebedje dat Jan zich zou haasten. Waar bleef Jan toch?

Maar het geduld van Jasmine was op. "Ik wil nu een paard!" gilde ze en ze zette het op een rennen.

Merel keek haar verbijsterd na en even wist ze niet wat ze moest doen, maar meneer Lodewijks knikte dat ze achter Jasmine aan moest gaan. Dus deed Merel dat maar. Terwijl meneer Lodewijks op zijn gemak achter hen aankwam, rende zij achter Jasmine.

Jasmine vond het achtervolgingsspelletje van Merel blijkbaar erg leuk en ze liep kriskras over het domein. Ze klom tussen de omheining van de pistes en doorkruiste de paardenweides die achter de stalgebouwen lagen. Merel was bang dat Jasmine de paarden zou doen schrikken of dat ze een trap zou krijgen, maar daar trok Jasmine zich niets van aan. Ze bleef rondrennen met Merel achter zich aan. Toen Jasmine eindelijk bleef staan, was Merel helemaal uitgeput. Iets had Jasmines aandacht getrokken: de bouwvallige stal die buiten de muren van de manege lag. De stal van Amika...

Zodra het paard merkte dat er iemand buiten de stal stond, begon hij luid tegen de deur te trappen en te hinniken. Jasmine liep nieuwsgierig naar de stal toe. Merel voelde haar hart overslaan. Wat als het paard de deur intrapte en Jasmine gewond raakte?

"Jasmine, je mag hier echt niet komen," probeerde ze. Maar Jasmine die gewend was haar zin te krijgen, begon aan de deur te morrelen.

"Ik wil deze!" zei ze koppig.

Meneer Lodewijks kwam ondertussen op zijn dooie gemak aangewandeld, maar hij deed geen enkele poging om zijn dochter te kalmeren. Hij leek eerder nieuwsgierig naar hoe Merel de zaak zou oplossen. Merel wist niet wat gedaan. Ze wist dat meneer Lodewijks erg belangrijk was, maar Jasmine mocht onder geen beding de stal in.

"Meneer Lodewijks, alsjeblieft?" zei ze smekend. En eindelijk kwam meneer Lodewijks in actie.

"Jasmine, zo is het wel genoeg," zei hij streng. Alsof hij een toverwoord had gezegd, liet Jasmine de sloten gerust.

Marie-Claire, die wat verderop zat te mokken, hoorde het kabaal bij de stal van Amika. Toen ze Merel bij de stal opmerkte, werd ze nog nijdiger. Ze sprong op en liep naar de stal.

"Hé!" brulde ze tegen Merel. "Dit is verboden terrein."

"Maar dit is meneer Lodewijks," begon Merel.

"Al heb je de paus of de koning bij," krijste Marie-Claire.

Merel zweeg en keek beteuterd naar de grond.

Gelukkig had Jan intussen meneer en mevrouw de la Fayette gevonden. Ze hadden het gegil van Jasmine tot in de manege gehoord en ze kwamen ongerust aangelopen.

"Jongedame, dit meisje was zo vriendelijk ons een rondleiding te geven!" kwam meneer Lodewijks tussenbeide.

"Heb ik jou iets gevraagd?" blies Marie-Claire als een wilde kat. "Ik ben de dochter van de baas en ik heb er genoeg van!"

"Wat zei jij daar?" begon meneer Lodewijks. Hij was het helemaal niet gewend om zo aangesproken te worden.

"Ze maakte maar een grapje," suste haar moeder.

"Ik maakte helemaal geen grapje!" riep Marie-Claire die nu bijna wit van woede zag.

"Marie-Claire, zo is het wel genoeg!" zei haar moeder streng.

"Mathieu, we zijn zo blij dat je er bent," glimlachte meneer de la Fayette geforceerd.

"Sorry, maar ik begrijp er niet veel van, hoor," zei meneer

Lodewijks. "Dit meisje was zo vriendelijk om ons de perfecte rondleiding te geven..." Hij wees naar Merel die niet wist wat gezegd en verlegen naar de grond staarde.

"Perfecte rondleiding!" hikte Marie-Claire. Ze had nu een nog grotere hekel aan Merel. Haar moeder wierp haar een lelijke blik toe en greep de arm van meneer Lodewijks.

"Zullen we iets gaan drinken in de kantine?" stelde ze voor en ze troonde meneer Lodewijks en zijn dochter kordaat met zich mee.

"Goed gedaan, meisje!" zei meneer de la Fayette vriendelijk tegen Merel.

Merels hart maakte een sprongetje van plezier om het complimentje.

"En nu is zij nog de heldin ook!" riep Marie-Claire. "Maar *ik* ben nog niet klaar met jou!" siste ze tegen Merel en ze stampte weg.

Merel keek hen met gemengde gevoelens na. Ze was blij dat meneer de la Fayette zo tevreden was, maar waarom had Marie-Claire zo'n hekel aan haar? Wat had ze haar ooit misdaan?

"Hé," zei Jan. Ze stonden nog met z'n tweeën bij de stal. Jan streelde zacht over haar wang. "Het is toch goed afgelopen?" zei hij lief.

Merel knikte halfslachtig. Was het goed afgelopen?

"Merel, nieuwe gids op De Paardenhoeve," lachte Jan. "En direct al fans!"

Merel glimlachte blij. Wat was hij lief.

"Zeg Jan, wat is er eigenlijk met Amika?" durfde ze eindelijk te vragen.

De lieve glimlach verdween van Jans gezicht en maakte plaats voor een norse trek om zijn lippen. "Zwijg toch over Amika!" zei hij geërgerd en hij beende weg.

Merel keek hem geschrokken na. Ze kreeg een krop in haar keel. Waarom was Jan plots zo boos? Wat was er aan de hand met Amika? Waarom wilde niemand erover praten? Ze keek nog een laatste keer naar de stal. Binnen was het stil. Het paard verroerde zich niet.

Met haar hart in haar schoenen ging Merel terug aan het werk. Maar het ging niet meer. Haar keel werd dichtgeknepen door verdriet en een onrustig gevoel welde op in haar buik. Eerst kreeg ze complimentjes en een minuut later verwijten naar haar hoofd. Ze schopte boos in het stro. Ze had er genoeg van. Iedereen leek wel knettergek op de manege.

Merel kon haar tranen niet langer inhouden. "Stomme manege!" Ze liet zich in het hooi vallen, duwde haar gezicht in haar armen en snikte het uit.

Ze lag er al een tijdje, voor ze merkte dat ze niet alleen was op de hooizolder.

Een blond meisje met gekke staartjes en kleurige kraaltjes in haar haren, keek haar van tussen de strobalen nieuwsgierig aan.

"Waarom huil je?" vroeg ze toen ze wist dat ze gezien was.

Merel veegde haastig de tranen van haar gezicht. "Niks, het gaat wel weer," zei ze. "Wie ben jij?"

"Zeg ik lekker niet," zei het meisje.

Merel glimlachte door haar tranen heen. Wat een grappig meisje. "Heb je misschien een rare naam? Bertha, of Sabrina, of Mariette?" probeerde ze.

"Nee!" gilde het meisje. "Ik ben Julie! Wie ben jij?"

"Ik ben de stalhulp," zei Merel.

"Hm, voor een stalhulp heb je wel vreemde schoenen aan," zei Julie en ze wees naar de gestipte gymschoenen van Merel. "Je moet laarzen dragen zoals ik, dan zie je er wat echter uit."

Merel grinnikte toen ze de te grote laarzen zag waarmee het meisje rondliep.

"Ja, ik weet het," zei Julie. "Ze zijn van mijn broer. Die werkt hier. En daardoor ken ik alle geheimen van de manege," zei ze geheimzinnig. "Alle roddels over de Z-Girls en wie verliefd is op wie..."

"En Amika?" vroeg Merel nieuwsgierig. "Wat is er met Amika?"

"Ssst!" siste Julie. "Amika is het grootste geheim van allemaal. Ergens op deze manege staat een verborgen stal, daar zit het valse paard Amika verborgen," fluisterde ze raadselachtig. "Het is een door en door slecht paard en als je even niet oplet, stampt hij zo hard hij kan..."

Merels nieuwsgierigheid was nu compleet. Was het waar wat Julie zei? Was Amika echt zo gevaarlijk? Zat hij daarom opgesloten in de afgelegen stal? Maar waarom wilde niemand dan over hem praten?

Ze ging verder met het schoonmaken van de stallen, maar zodra ze een moment vrij had, sloop ze stiekem terug naar de geheime stal. Al van veraf hoorde ze Amika hinniken. Ze dacht aan Julie die haar gezegd had hoe gevaarlijk Amika wel was. En dan was er ook nog mevrouw de la Fayette. Ze mocht hier helemaal niet zijn. Merel keek bang om zich heen. Als iemand haar bij de stal zag, werd ze zeker ontslagen. Maar Merels nieuwsgierigheid won het van haar angst. Ze raapte haar moed bij elkaar en stapte voetje voor voetje dichter naar de stal toe.

Merel tuurde tussen de spleten van de oude stal. Binnenin kon ze vaag de contouren zien van een prachtig paard. Zijn witte vacht glansde dof in het weinige licht dat door de spleten naar binnen viel, maar zijn felle ogen blonken koortsachtig. Het paard trappelde zenuwachtig heen en weer, maar Merel suste hem met lieve woordjes. Amika duwde rusteloos zijn neus tegen een gat in het hout en Merel stak twee vingers erdoor om hem te strelen.

"Rustig maar," zei ze lief terwijl haar vingers over de warme zachte snuit van het paard aaiden. Met een ruk werd ze achteruit getrokken waardoor haar vingers naar buiten schoten.

"Merel, wat doe jij hier?" zei Jan.

"Ik wilde hem alleen maar aaien..."

"Aaien?" kreunde Jan. "Merel, Amika is gevaarlijk. Die bijt zo je vingers af! Dit is verboden terrein, begrepen?"

"Maar waarom dan?" probeerde Merel nog een laatste keer.

"Waarom, dat maakt niets uit," zei Jan fel. "Je moet je niet bemoeien met dingen die je niet aangaan. Kom... ga nu maar naar huis," zei hij geërgerd. "Het werk zit erop voor vandaag. En tegen niemand zeggen dat je hier bent geweest..."

Met een leeg gevoel in haar hoofd liep Merel naar haar fiets. Ze voelde zich zo verdrietig en alleen dat ze wel kon huilen. Haar hart ging uit naar het eenzame paard in de stal. Was er dan niemand die medelijden met hem had? Het arme dier stond de hele dag helemaal alleen in die donkere stal...

Een lekke band

Het zat Merel die dag echt niet mee. Toen ze op haar fiets wilde stappen, merkte ze dat ze een lekke band had. Ze had het hele eind naar huis moeten lopen, als Julie haar niet te hulp was gekomen. Gelukkig bleek Julie net zo'n kei te zijn in het herstellen van lekke banden als haar eigen papa. Terwijl Julie de band herstelde, zaten ze met z'n tweeën wat te praten. Langs haar neus weg vertelde Julie dat ze het kleine zusje was van Jan. Merel schrok en ze werd vuurrood toen ze de naam van Jan hoorde.

Julie had het natuurlijk gezien. "Je bloost!" grijnsde ze. "Vind je hem leuk dan?" Merel haalde haar schouders op. Ze vond Jan heel leuk, maar dat ging ze toch niet aan Julies neus hangen?

Ze was natuurlijk te laat thuis en dus kon ze niet anders dan over de lekke band vertellen. Haar papa vroeg haar honderduit zodat ze wel moest liegen. Waar had ze de lekke band gehad (in het winkelcentrum), wie had de band geplakt (een collega), dus ze had al vrienden gemaakt (ja), hoeveel collega's had ze…? Merel wist niet goed wat ze moest antwoorden en ze verzon maar wat, maar ze raakte steeds dieper verstrikt in haar eigen leugens. Ze probeerde zo dicht mogelijk bij de waarheid te blijven, waardoor ze zich soms bijna versprak. Natuurlijk merkte haar papa dat er wat aan de hand was. En hoe minder Merel zei hoe nieuwsgieriger hij werd. Tot hij zei dat hij van plan was om haar de volgende dag op het werk te komen opzoeken. Merel begon te panikeren. Hoe moest ze zich hieruit redden…?

Hij mocht gewoon niet naar haar werk komen. Dan zou hij ontdekken dat ze helemaal niet in een winkelcentrum werkte, maar veel erger: in een manege. Hij zou weten dat ze gelogen had en hij zou haar zeker verbieden om terug te gaan.

Merel probeerde allerlei uitvluchten te verzinnen waarom ze liever had dat hij niet naar haar werk kwam, maar haar papa hield voet bij stuk. Hij wilde haar echt komen afhalen. Zijn besluit stond vast.

Merel zat met de handen in het haar. Een hele avond lang dacht ze na over wat ze moest doen. Het was beter dat ze zelf de waarheid opbiechtte, ze zou wel zien wat er van kwam. Merel raapte al haar moed bij elkaar en trok naar de knutselkamer waar haar papa nog steeds stond te timmeren en te zagen aan het geheime ding dat hij voor haar verstopt hield. De deur zat op slot... Merel klopte aan.

"Papa," zei ze aarzelend. "Ik moet je iets vertellen..."

Haar papa kwam de kamer buiten en sloot de deur zorgvuldig achter zich zodat Merel niets kon zien. "Ik denk dat ik al weet wat..." zei hij. "Het gaat over je nieuwe job."

Merel knikte. Ze opende haar mond om iets te gaan zeggen, maar haar papa was haar voor. "Jij wil niet dat ik langskom op je werk omdat je bang bent dat ik je belachelijk maak bij je collega's," zei hij.

Merel werd vuurrood. "Natuurlijk niet..." protesteerde ze, zo was het ook niet, maar haar papa wilde niet luisteren.

"Nee, nee," zei hij, "dat is niet erg. Ik zal buiten wachten en dan kunnen we daarna misschien een ijsje gaan eten." Hij keek Merel zo lief aan dat Merel niet anders kon dan knikken.

Een standje

Ook Marie-Claire kwam in een lastig parket te zitten. Zodra meneer Lodewijks en zijn dochter de deur uit waren, werd ze op het matje geroepen bij haar papa. Haar papa was er absoluut niet over te spreken dat ze zo onbeleefd was geweest tegen Mathieu Lodewijks. Gelukkig deelde Olivier in de klappen omdat hij haar die dag zo gepest had.
En de straf was niet licht... Olivier mocht een hele maand geen tv kijken. Maar de straf voor Marie-Claire was nog erger... Haar verjaardagsfeestje ging niet door.
Olivier keek sip, maar Marie-Claire was in alle staten. Wat nu? Dit kon toch niet? Eerst mocht ze niet naar New York en nu zou ze zelfs geen feestje meer krijgen? Dit was een ramp! Wat zouden haar vriendinnen hiervan denken? Iedereen zou haar uitlachen! Hedwig op kop. Ze mocht er niet aan denken! Marie-Claire verloor haar zelfbeheersing en ze begon te smeken en te huilen, een trucje dat bij haar papa altijd werkte.
"Papa, ik word zestien!" jammerde ze. "Papa, alsjeblieft!" snikte ze alsof haar leven ervan af hing. "Het spijt me..."
Ze huilde en jammerde net zo lang tot haar papa zich gewonnen gaf.
"Oké, oké," zei hij uiteindelijk. "Ik geef jullie nog één kans om het goed te maken. Vanavond komt de familie Lodewijks dineren. Ik verwacht jullie stipt om zeven uur aan tafel en ik verwacht dat jullie je keurig gedragen."
Marie-Claire was zo opgelucht dat ze alles zou beloven wat mogelijk was als ze toch maar haar feestje kreeg. Deze keer zou ze het niet verpesten, haar feestje moest doorgaan. Ze was zelfs bereid om een hele avond lang de strijdbijl met Olivier te begraven als dat nodig was.

Marie-Claire gedroeg zich 's avonds voorbeeldig. Tenslotte hing het belangrijkste feestje van haar leven ervan af. Marie-Claire verscheen in een prachtige feestjurk aan tafel en ze gedroeg zich zo voorbeeldig, dat haar ouders en meneer Lodewijks er versteld van stonden.

De avond kroop tergend traag voorbij, maar eindelijk stond meneer Lodewijks op om naar huis te gaan.

Marie-Claire haalde opgelucht adem. Alles was goed verlopen. Ze zou haar verjaardagsfeestje krijgen. Tot Jasmine over Amika begon...

"Papa, gaan we nu naar dat paard?" zeurde ze toen ze bijna de deur uit waren. "Dat paard met die witte oren. Ik wil Amika."

Marie-Claire werd lijkbleek. Net als haar moeder. Waarom begon dat kind over Amika? Haar vader mocht absoluut niet te weten komen wat er met Amika aan de hand was, anders zou ze nooit nog een verjaardagsfeestje krijgen. Kon dat rotkind haar mond niet houden?

"Dat zal niet gaan," zei haar moeder zo vriendelijk mogelijk. "Amika is een privépaard."

Maar meneer Lodewijks was gewend om Jasmine haar zin te geven... "Misschien valt er iets te regelen?" probeerde hij.

Marie-Claires vader zwichtte. Tenslotte was Mathieu Lodewijks een erg belangrijke klant. Dus beloofde hij dat Jasmine de volgende dag een ritje mocht maken op Amika. Jasmine maakte een dansje van blijdschap. Maar Marie-Claire was in alle staten... Hoe moest ze zich hieruit redden? Haar vader zou ontdekken dat ze Amika hadden verplaatst naar de oude stal waar niemand naar hem omkeek. Hij zou ontdekken dat ze al een hele tijd niet meer op Amika reed. Hij zou te weten komen dat zij Amika had mishandeld, dat het haar schuld was dat hij er zo erg aan toe was!...

"Wat moet ik nu doen?" snikte ze toen ze alleen was met haar moeder. "Als papa te weten komt hoe Amika eraan toe is, kan ik het helemaal vergeten! Dan kan ik niet alleen fluiten naar New York, maar ook naar een feestje en een roze scooter." En deze keer waren haar tranen gemeend.

"Stil maar," suste haar moeder. "Jij krijgt je feestje en je scooter. Ik verzin wel iets. We hebben nog een paar dagen."

Marie-Claire geloofde haar. Haar moeder zorgde ervoor dat ze altijd haar zin kreeg.

Mama's kamertje

Merel kon niet slapen. Ze werd geplaagd door schuldgevoelens. Liegen is nooit goed, wist ze diep vanbinnen, en liegen tegen haar papa zeker niet. Maar ze wist ook heel goed dat als ze de waarheid vertelde, hij geen moment meer op zijn gemak zou zijn zolang ze op de manege werkte. Haar papa zou zich voortdurend zorgen maken om haar. En ze wilde haar baantje op de manege niet opgeven. Merel hoorde bij de paarden, dat wist ze gewoon.

Toen het stil geworden was in huis, kwam Merel uit bed. Ze opende de deur van haar kamer en luisterde scherp of ze niets hoorde. Toen ze er zeker van was dat haar papa sliep, sloop ze naar mama's kamertje, het kamertje waar alle spullen van haar moeder stonden. Merel sloot de deur achter zich en knipte het licht van haar zaklamp aan. Ze liet de lichtstraal langs trofeeën en foto's van haar mama glijden en hield stil bij een houten kastje achter in de kamer. Merel ging er voor zitten en opende de deurtjes. In het kastje zat de paardrijkleding van haar moeder. Ze streelde teder over de rijjasjes, broeken en blouses. Het rook hier zelfs nog naar haar mama. Tussen de kleren zat ook een paar zwarte laarzen, de laarzen van haar mama. Merel trok ze voorzichtig uit de kast en duwde haar voeten erin. De laarzen waren precies haar maat. Ze zaten perfect. Ze zou de laarzen van haar moeder de volgende dag meesmokkelen naar de manege. Zo zou ze zich tenminste wat meer thuis voelen tussen de anderen. Plots hoorde Merel geluid op de gang. Haar papa was wakker geworden! Merel probeerde haastig de laarzen uit te trekken, maar het leek alsof de laarzen die daarnet als gegoten zaten, nu vier maten te klein waren!

"Ik dacht al dat ik licht zag branden," zei haar papa toen hij binnenkwam en Merel in de laarzen aantrof. "Weet jij wel hoe laat het is?"

"Ik ga direct naar mijn bed, sorry..." stamelde Merel vuurrood.

Haar papa keek haar met een vreemde blik aan. Hij wist hoeveel Merel haar mama miste. Hij begreep waarom ze zo graag op het kamertje zat tussen de spullen van haar mama. Merel miste haar moeder, net zoals hij haar miste. En wie was hij om haar te zeggen dat ze dat niet mocht doen?

"Jij moet helemaal geen sorry zeggen," zuchtte hij. "Ik begrijp best dat je hier wil zijn, dicht bij je moeder." Haar papa slikte hard. "Als die stomme rotpaarden er maar niet geweest waren..."

Merel wist niet wat gezegd. Hij had het helemaal verkeerd voor. Ze was hier gekomen voor de laarzen. Die had ze nodig op de manege. Ze moest de waarheid opbiechten nu het nog kon! "Papa, ik moet je iets vertellen..." begon ze weer. "Het gaat over mijn nieuw baantje..."

"Alweer," knipoogde hij. "Ik begrijp het wel hoor. Je bent nieuw op je werk en je hebt nieuwe collega's. Misschien ook een paar jongens... Iedereen heeft recht op zijn eigen geheimpjes... Maak je maar geen zorgen. Ik zal wegblijven op je werk." En verder wilde hij er niets meer over horen.

Merel was beschaamd omdat ze de waarheid niet had durven zeggen. Beschaamd maar diep van binnen ook opgelucht. Heel erg opgelucht...

Merel baalt

De volgende dag liep Merel trots als een pauw op De Paardenhoeve rond in de rijlaarzen van haar moeder. Ze had de laarzen stiekem mee het huis uitgesmokkeld. Maar ondanks de laarzen voelde ze zich die dag nog minder op haar plaats in de manege dan de dag ervoor. Ze deed haar uiterste best, maar Jan ontweek haar de hele ochtend en als hij al iets tegen haar zei, was het alleen om haar een nieuw taakje te geven. Ze wist natuurlijk niet dat Jan een enorm probleem op te lossen had: meneer Lodewijks en Jasmine zouden zo dadelijk naar de manege komen om op Amika te rijden. Wat uitgesloten was: Amika was zo onhandelbaar dat niemand hem kon berijden. En dat mocht meneer de la Fayette absoluut niet te weten komen. Jan moest een oplossing bedenken, anders werd hij op staande voet ontslagen door mevrouw de la Fayette...

Merel had er geen idee van wat Jan aan zijn hoofd had, maar ze was het beu dat hij zo bits tegen haar deed. Ze had er haar buik van vol. Waarom deed hij zo? Wat moest ze nog doen voor hij vriendelijker tegen haar zou zijn? Was het dit allemaal wel waard, al dat liegen tegen haar papa?

Nijdig duwde ze een kruiwagen verder met spullen die ze in opdracht van Jan had moeten opruimen. Ze had de kruiwagen echter veel te zwaar geladen en toen ze in een kuiltje reed, kantelde hij. De hele inhoud van de kruiwagen rolde over de grond. Lege blikken, kettingen, spijkers en allerlei gereedschap rolden in het rond. Boos begon ze alles terug in de kruiwagen te keilen. Julie die alles had zien gebeuren, kwam haar nieuwe vriendinnetje helpen met oprapen.

"Misschien wil je te veel tegelijk doen?" probeerde Julie toen ze merkte hoezeer Merel baalde. "Zelfs Jan doet niet zoveel."

"Ik probeer gewoon mijn best te doen," zei Merel nors, "en soms lijkt zelfs dat niet genoeg."

"Voor Jan?" vroeg Julie. Ze had al wel gezien dat Merel extra goed haar best deed als Jan in de buurt was. Merel werd rood

tot achter haar oren. Was het zo duidelijk dat ze op Jan was?
"Je bloost," lachte Julie. "Je vind hem echt wel leuk, hé?"
"Maakt niet uit," zei Merel, "het is in ieder geval niet wederzijds."
"Toch wel," zei Julie die haar broer beter kende dan wie ook. Ze had best wel gemerkt dat ook Jan zich helemaal anders gedroeg als Merel in de buurt was. "Ik ben er zeker van," zei ze overtuigd.
Merel twijfelde. Zou Jan iets voor haar voelen? Ze dacht aan de norse trek om zijn mond telkens als ze naar Amika vroeg. Nee hoor, Julie had het verkeerd voor. Ze liet Jan koud.
"Nee," schudde ze haar hoofd, "dan had hij dat wel gezegd. Voor hem ben ik gewoon Merel. En ik ben het echt zat hier."

Jan had natuurlijk niet in de gaten dat Merel baalde. Hij had andere zorgen aan zijn hoofd: het paard voor die verwende Jasmine. Plots kreeg hij een schitterend idee. Zijn eigen zusje was dol op roze en op pareltjes en strikjes. Hij zou gewoon een ander paard optuigen als een sprookjespaard en dan zou Jasmine wel snel van gedachten veranderen. Hij koos een rustige merrie en ging aan de slag. Toen hij eindelijk klaar was, knikte Jan goedkeurend. Alles was roze aan het paard: een roze zadel, een roze hoofdstel en roze dotjes, en het had zelfs roze bandages om de hoeven. Zijn slimme trucje werkte! Zodra Jasmine het 'roze' paard zag, was ze Amika op slag vergeten. Dolblij liep ze achter haar roze paard aan naar de binnenpiste waar ze haar allereerste rijles zou krijgen...

Een domper op de feeststemming

Aan paardrijden dacht Marie-Claire die dag dan weer helemaal niet. De hele ochtend al was ze bezig met de voorbereidingen voor haar verjaardag. Ze had nog precies één dag en ze wilde er een megagroot feest van maken waar de hele manege nog jaren over zou napraten. Het moest het grootste feest worden dat iemand ooit gegeven had. Ze zou haar feest in de kantine geven. De hele zaal zou versierd worden met slingers en posters die ze van zichzelf had laten maken en waar ze op haar allerbest opstond (Casper zou er niet naast kunnen kijken, dacht ze blij). Ze zou ook een professionele dj inhuren met speciale dansspots, en er moesten hapjes zijn en drankjes. Alle belangrijke meisjes en jongens van de school en van de manege waren uitgenodigd (al was zijzelf natuurlijk de allerbelangrijkste, samen met Casper), en uiteraard kregen haar broer en zijn vreselijke vriendje geen uitnodiging. Marie-Claire droomde hardop van de supercadeaus die ze zou krijgen en waar iedereen jaloers op zou zijn. "Wacht maar, Hedwig," dacht ze terwijl ze droomde van haar eigen roze Vespa met haar naam erop. Ze zag zichzelf al rijden, iedereen zou haar bewonderend nakijken. Hedwig zou megajaloers zijn als ze zag wat zij allemaal kreeg!

Tot ze hoorde wat Hedwig van haar papa had gekregen...
"Kijk eens wat ik heb?" straalde Hedwig trots toen ze elkaar later die dag zagen. Ze hield Marie-Claire een schitterend hoofdstel onder de neus. "Mooi hé?" zei ze. "Van mijn pappie gekregen. Een nieuw hoofdstel voor mijn paard. Van bizonleer, ingelegd met diamantjes en helemaal uit Dallas!"
Marie-Claire was met stomheid geslagen. Het hoofdstel was inderdaad prachtig. De dingen die zij gevraagd had vielen in het niets vergeleken bij het kostbare hoofdstel van Hedwig. Ze moest en ze zou net zo'n hoofdstel hebben. Dat was vast nog veel duurder dan een Vespa.

Zodra ze de kans kreeg, vertelde ze haar vader over het hoofdstel en ze liet flink doorschemeren dat ze ook een hoofdstel wilde hebben. Dat ze de volgende dag al jarig was en dat ze misschien al een cadeau voor haar gekocht hadden, kwam niet in haar hoofd op. Ze moest en ze zou een hoofdstel krijgen.

"Wacht maar tot je mijn verjaardagscadeau ziet!" pochte ze tegen Chanel. Ze zaten met z'n tweeën op haar kamer om de laatste voorbereidingen voor haar feestje te treffen.

"Een scooter!" zei Chanel die wist wat Marie-Claire gevraagd had.

"Nee domkop!" siste Marie-Claire. "Een hoofdstel en wel een dat veel mooier is dan dat van Hedwig. Ze zal krimpen van jaloezie als ze mijn hoofdstel ziet... helemaal van goud en bezet met diamantjes." Marie-Claire droomde weg.

"Waw!" steunde Chanel. "Alleen maar hopen dat je het krijgt!"

"Ik krijg alles wat ik wil!" zei Marie-Claire zelfverzekerd. "En om mijn verjaardag compleet te maken, kussen met Casper... En daar ga jij voor zorgen!"

"Wat?" Chanels mond viel open van verbazing. "Maar... ìk kan Casper toch niet uitnodigen voor jouw feestje!"

"Tuurlijk wel!" zei Marie-Claire, "want als ik het doe en hij komt niet, dan sta ik voor schut." "Vooruit, ga hem die uitnodiging maar geven."

Chanel keek haar vriendinnetje een beetje bang aan. "Maar Casper is er niet," zei ze.

Marie-Claire keek op haar horloge. Chanel had gelijk. Casper was al vertrokken. Ze kon zich voor het hoofd schieten. "Nee, nee, nee..." jammerde ze. Zonder Casper was er niets aan. Casper moest gewoon komen.

"Misschien moet je hem gewoon bellen?" probeerde Chanel.

"Casper bellen?" riep Marie-Claire uit. Hoe kwam Chanel er bij? "Ik speel *hard to get*, weet je wel?"

Chanel haalde haar schouders op. "Ja, dan bel je niet hé, als je niet durft," zei ze stout.

Marie-Claire keek haar vriendinnetje kwaad aan. Waar haalde ze het? Zij iets niet durven? "Ik zal wel bepalen wat ik wel of niet durf," zei ze boos. Ze had ook niets aan Chanel. Marie-Claire greep haar telefoon en toetste het nummer in van Casper. Hij nam bijna meteen op.

"Dag Casper, Marie-Claire hier..." zei ze met haar liefste stem. "Zeg, ik vroeg me af of je al gehoord had dat ik een feestje geef voor mijn verjaardag..."

"Ja, ik dacht al dat je mij vergeten was," zei Casper.

"Jou vergeten? Hoe zou ik kunnen!" kirde Marie-Claire. Haar hart sloeg twee keer zo snel als normaal. "Dus, eh... je komt? Acht uur?" vroeg ze voor alle zekerheid.

"Oké, *see you tomorrow*!" grijnsde Casper.

Marie-Claire liet zich gelukzalig op haar bed vallen. "Zie je wel..." zei ze dolblij. "Nooit te snel opgeven!"

Haar verjaardag kon niet meer stuk. Het zou een onvergetelijke dag worden. Ze zou alles krijgen waar ze van droomde: een gouden hoofdstel met diamantjes, een fantastisch verjaardagsfeest, en de langverwachte zoen van Casper...

Amika

Merel duwde de volle kruiwagen naar de mesthoop. Vanuit haar ooghoeken keek ze naar de stal van Amika. Het gat in de deur waardoor ze naar binnen had kunnen kijken, was dichtgetimmerd. Dat had Jan de vorige avond nog gedaan. Ze hoorde het paard zachtjes snuiven in de afgesloten stal. Arm dier... Het moest vreselijk zijn om hele dagen lang opgesloten te zitten in die donkere, enge stal.

Merel keek om zich heen. Niemand te zien...

Merel liep om de stal heen. Aan de achterkant zat een brede spleet die niet dichtgetimmerd was. Van daar zou ze vast kunnen binnenkijken. Merel kroop op een stapel hout die achter de schuur lag. Ze ging op de toppen van haar tenen staan en tuurde naar binnen. Binnen in de halfduistere stal stond het mooiste paard dat ze ooit gezien had. Hij was helemaal wit, alleen op zijn voorhoofd precies tussen zijn ogen zat een donkere vlek in de vorm van een hartje. Dit was dus Amika. Hij was prachtig...

"Merel?!"

Merel schrok. Iemand riep haar naam! Ze verloor haar evenwicht en tuimelde van de stapel hout naar beneden.

"Merel?"

Jan! Merel verstopte zich achter het hout. Jan had de kruiwagen van Merel gezien. Hij kwam naar de achterkant van de stal, maar Merel dook nog dieper weg zodat Jan haar niet zag. Hij zou vast weer kwaad worden omdat ze bij de stal van Amika rondhing.

"Merel, ik moet met je praten..." hoorde ze Jan zeggen. Merel spitste haar oren. Zijn stem klonk vriendelijk. Hij wilde met haar praten? Praten, dat was iets goeds. Jan had de hele dag niet naar haar omgekeken en haar genegeerd. Zou hij het echt willen goedmaken zoals Julie gezegd had? Of zou hij net heel boos worden omdat ze hier bij Amika was, net als de vorige dag? Merel verroerde zich niet. Ze was te bang dat ze weer een uitbrander zou krijgen van Jan. Het deed haar zo'n pijn als hij boos was en daarom bleef ze verstopt zitten tot ze hem hoorde weggaan. Merel bleef nog enkele minuten zitten om er zeker van te zijn dat hij weg was. Toen pas kroop ze overeind.

"O nee hè," steunde ze. Ze had op haar knieën in de modder gezeten. De glanzende laarzen van haar mama waren van boven tot onder besmeurd met een dikke laag kleverige modder. Hoe moest ze dit thuis uitleggen?

Merel durfde Jan niet meer onder ogen te komen en omdat de werkdag er toch opzat, vertrok ze zonder afscheid te nemen naar huis. Ze wilde de modder van de laarzen wassen voor haar papa ze zag en vragen zou gaan stellen.

Thuis zette ze de vieze laarzen snel in de wasbak om de aangekoekte modder er af te wassen, maar al haar moeite was voor niets. Ze was nog maar net thuis toen haar papa de keuken kwam binnenwandelen met zijn nieuwste uitvinding, de automatische bordendroger, die hij meteen wilde uittesten. Bij de wasbak...

Merel probeerde nog de vieze laarzen weg te moffelen, maar natuurlijk had hij in de gaten dat ze iets verstopt hield. "Wat is dat?" vroeg hij verbaasd. Merel deed met tegenzin een stap opzij.

Haar papa tilde de vieze laarzen uit de wasbak en staarde haar ontzet aan. Hij begreep er niets van: hoe konden de laarzen die de vorige nacht nog zo schoon in de kast stonden, vandaag zo vuil zijn?

"Ik heb ze meegedaan naar mijn werk," biechtte Merel op.

"Modder? Modder in een winkelcentrum?" vroeg haar papa ongelovig.

"Ik... ik moest buiten werken," loog Merel, "en al mijn andere schoenen waren vuil." Natuurlijk geloofde haar papa haar niet. Maar Merel durfde de waarheid niet op te biechten. "Jij gelooft me nooit!" schreeuwde ze kwaad en ze trok met slaande deuren naar haar kamer.

"Merel!" riep haar papa haar na. Maar Merel had geen zin om te praten. Ze was boos op zichzelf omdat ze loog, omdat ze moest liegen, en ze was boos op haar papa omdat ze hem de waarheid niet durfde te zeggen.

Toen ze al minstens een uur op haar bed lag te mokken, kwam haar papa stilletjes op haar deur kloppen.

"Er lag al een verjaardagscadeautje beneden op tafel," zei hij zacht en hij gaf Merel een klein pakje.

Merel glimlachte. Ze had al lang spijt van haar boze bui. Ze deed het pakje open en haalde er een klein boekje uit dat ze zelf kon gebruiken als dagboek. Het had een klein slotje zodat ze het ook kon sluiten. "Dankjewel," zei ze gemeend. Ze was ontzettend blij met het cadeau.

"En als je wil, mag je mama's laarzen hebben," voegde haar papa eraan toe.

Merel viel hem om de hals. Hij was zo lief voor haar en ze voelde zich zo schuldig omdat ze loog...

Jarig

Eindelijk was de langverwachte dag aangebroken. Vandaag werd Marie-Claire zestien. Precies op dezelfde dag als Merel aan wie ze zo'n hekel had, al wist ze dat natuurlijk niet. Ze ontwaakte uit een prachtige droom waarin Casper haar in zijn armen had genomen, klaar om haar te kussen. Ze wist het zeker: vandaag zouden al haar dromen uitkomen. Vol verwachting lag Marie-Claire in haar bed te wachten. Zoals bij elke verjaardag kwam haar moeder haar uit bed halen en bracht haar geblinddoekt naar beneden waar iedereen haar zingend stond op te wachten.

"Lang zal ze leven, lang zal ze leven," zong haar vader uit volle borst. Haar broer Olivier deed wat tegen zijn zin mee en jammer genoeg herkende ze ook de stem van Gringo. Maar voor een keer trok Marie-Claire zich daar niets van aan. Ze was jarig! Dit was haar dag en die liet ze zelfs door Gringo niet verpesten.

"Ben je benieuwd wat je krijgt?" vroeg haar moeder geheimzinnig.

"Ik heb al een ideetje!" glimlachte Marie-Claire. Ze wist wat ze zou krijgen. Had ze gisteren niet uitdrukkelijk gevraagd om een hoofdstel met goud en diamantjes?

Haar moeder haalde de blinddoek weg en Marie-Claire keek verrukt rond in de kamer die omgetoverd was tot een roze sprookjeskamer. Overal hingen roze strikken en slingers en ballonnen die haar broer (zeer tegen zijn zin) had moeten opblazen. Er was een enorme taart met roze glazuur en bovenop stond in grote letters MC. En midden in de kamer stond haar verjaardagscadeau klaar: de roze scooter waar ze zo lang om had gezeurd...

Haar ogen werden groot van afgrijzen toen ze de roze scooter zag. Ze wilde helemaal geen roze Vespa, ze wilde toch een nieuw hoofdstel met goud en diamantjes?! In plaats van haar ouders blij om de hals te vallen, slaakte Marie-Claire een ijselijke gil. Ze draaide zich om en stormde de trap weer op naar boven. Ze liet zich heftig snikkend op haar bed vallen. Haar moeder kwam geschrokken achter haar hysterisch huilende dochter aan.

"Ik heb nog zo gezegd dat ik een hoofdstel wou met diamantjes, zoals Hedwig," snikte Marie-Claire luid. "En wat krijg ik? Een scooter!"

Haar moeder keek haar dochter hoofdschuddend aan. Ze had er genoeg van. "Heb jij enig idee hoeveel moeite jouw vader gedaan heeft om een roze scooter te vinden?" zei ze streng.

"Kan mij niets schelen, het is mijn verjaardag en ik doe wat ik wil!" Marie-Claire kruiste boos haar armen en keek haar moeder uitdagend aan.

Maar deze keer liet haar moeder niet zomaar over zich heen lopen. Nu vond zelfs zij dat Marie-Claire te ver ging. "Denk jij dat je feestje nog zal doorgaan als jij je zo gedraagt?" vroeg ze. "Na je cadeau van vorig jaar, zing je maar beter een toontje lager. Of ben je Amika al vergeten? Jij gaat nu naar beneden en je doet alsof dit het leukste cadeau is van de hele wereld!" commandeerde ze.

Amika, altijd maar weer Amika...

Marie-Claire kon niet anders dan inbinden. Door al dat gedoe rond haar verjaardag was ze Amika bijna vergeten. Dat rotpaard was er nog steeds. Schoorvoetend ging ze terug naar beneden. Toen ze de roze scooter zag staan, barstte ze weer bijna in tranen uit. Wat een lelijk ding! Hedwig zou haar uitlachen als ze het zag! Maar ze moest zich flink houden. "Papa," stotterde ze met tranen in haar ogen, "dit is het mooiste cadeau dat ik ooit al gekregen heb..."

"Ik dacht even dat je er niet blij mee was," zei haar papa opgelucht.

Marie-Claire keek met tranen in de ogen van zijn gezicht naar de vreselijke scooter.

"Gelukkige verjaardag!" Chanel kwam binnenvallen. Tot ze haar vriendinnetje in tranen zag. "Oei!" zei ze. "Wat is er gebeurd?"

"Tranen van geluk," zei haar moeder snel.

Toen kreeg Chanel de roze scooter in de gaten. "Is dat je cadeau?" begon ze. "Jij wou toch een..."

70

"Roze scooter!" zei Marie-Claire snel. Kon Chanel nu eens nooit haar mond houden?

Merel werd wakker met een prettig gevoel in haar buik. Ze was jarig! Ze werd zestien vandaag! Haastig las ze het kaartje dat bij haar bed hing om dan meteen in haar kleren te schieten. Haar papa had 's nachts het hele huis versierd met slingers en hij zat haar aan de keukentafel met toeters en feesthoedjes op te wachten. Merel kon haar ogen niet geloven toen ze de prachtige taart zag die in het midden van de tafel stond te glimmen: chocoladesprookjestaart met bovenop een heleboel kaarsjes, precies zoals haar moeder die lang geleden maakte.
"Als je ze allemaal in één keer uitblaast, mag je een wens doen!" lachte haar papa.
Merel haalde diep adem en sloot haar ogen. *Ik wou dat alles weer goed komt met Jan!"* wenste ze en ze blies alle zestien kaarsjes in één keer uit.
Haar papa sneed een enorm stuk van de chocoladesprookjestaart en legde het op haar bord. Het smaakte hemels.
En er waren nog verrassingen. Om te tonen dat hij haar vertrouwde, had haar papa mama's rijlaarzen prachtig opgepoetst en Merel kreeg ze cadeau. Merel wist niet wat ze moest zeggen, zo gelukkig voelde ze zich. Dit was de allereerste keer dat ze iets kreeg wat ooit van haar mama was geweest.
"En," zo beloofde haar papa, "er komt nog meer. Je grote cadeau is voor vanavond. Het is nog niet af..."
Merel grinnikte. Het was vast dat ding in de knutselkamer dat hij al een hele week voor haar verborgen hield. Ze was zo nieuwsgierig. Ze kon haast niet wachten tot 's avonds. Wat kon het zijn?

Toen Merel eindelijk op de manege aankwam, was het veel later dan anders en ze ging snel aan het werk. Niemand wist dat ze jarig was en niemand zei dan ook iets speciaals tegen haar, wat ze een heel klein beetje jammer vond. Jan zag ze nergens, maar Julie kwam op haar afgestormd en vloog om haar nek.
"Merel!" zuchtte Julie gelukkig. "We dachten dat je nooit meer terug zou komen."
"We?"
"Ja, Jan en ik. Hij zal zo blij zijn!"

"Blij? Volgens mij wil Jan juist liever dat ik wegga," zei Merel verrast.

"Nee, helemaal niet! Hij wil het juist goedmaken!" Julie had haar broer de vorige avond een flinke uitbrander gegeven omdat hij zo lelijk tegen Merel had gedaan.

Merel keek haar verlegen aan. Meende ze dat? Wilde Jan het echt goedmaken? O, ze hoopte zo dat het waar was. Haar buik kriebelde van verliefdheid. Als dat waar was, werd dit de mooiste verjaardag ooit.

Julie troonde haar mee naar een kamertje dat ze in de hooischuur gemaakt had van strobalen. Toen ze met z'n tweetjes in het knusse kamertje zaten, haalde Merel een pakje uit haar tas met daarin twee stukken chocoladetaart die haar papa had meegegeven.

"Ben je jarig of zo?" vroeg Julie terwijl ze van de zelfgebakken chocolasprookjestaart proefde.

Merel knikte een beetje verlegen.

"Weet je wie er vandaag ook jarig is?" vertelde Julie met volle mond. "Marie-Claire. Jullie zouden een tweeling kunnen zijn!"

Merel lachte. "Ja, we lijken erg op elkaar!" grapte ze.

Nadat ze Julie had gezien, voelde Merel zich weer heel wat beter. Zou het echt waar zijn, zou Jan het willen goedmaken met haar? Merel hoopte diep in haar hart dat haar verjaardagswens zou uitkomen.

Jasmine heeft er genoeg van

Het was razend druk in de kantine. Iedereen was opgetrommeld om te helpen met de voorbereidingen voor het verjaardagsfeest van Marie-Claire. Ook Jan. Alles moest versierd worden, er moesten tafeltjes en stoeltjes klaargezet worden, er werden hapjes en cocktails gemaakt, ballonnen opgeblazen, slingers opgehangen. Marie-Claire liep als een bazige chef rond en commandeerde alsof ze nooit anders had gedaan (wat ook zo was). Pas toen alles er precies uitzag zoals ze het wilde, trok ze zich met Chanel terug op haar kamer om haar feestjurk aan te trekken en zich voor te bereiden op het belangrijkste moment van de avond: de zoen van Casper.

Maar voorlopig had Casper nog andere dingen aan zijn hoofd: Jasmine was er voor haar paardrijles en wat hem betrof, kon ze oplazeren. Hij had helemaal geen zin om kinderoppas te spelen. Helaas had Herbert de la Fayette daar duidelijk een andere mening over en hij had Casper gezegd dat hij Jasmine diende te behandelen alsof ze de koningin zelf was. Deed hij dat niet, dan kon Casper een ander baantje zoeken.
Casper had een hekel aan Jasmine, en Jasmine had een hekel aan Casper. En aan het vreselijke roze paard dat niet deed wat ze wou. Zo gauw ze de kans zag, glipte ze weg.
Jasmine holde weg tussen de stalgangen en zette koers naar de afgelegen schuur waarin Amika opgesloten was. Ze wilde Amika. En wel nu meteen. Zonder op het waarschuwingsbordje te letten, begon Jasmine de grendels voor de staldeur weg te schuiven. En deze keer was Merel er niet om haar tegen te houden...
Gelukkig merkte Casper snel dat Jasmine zoek was en ging naar haar op zoek. Hij zocht in alle stallen en besloot ten einde raad ook buiten bij de oefenpistes te kijken. Hij kon zijn geluk niet op toen hij Jasmine bij de oude stal opmerkte. Terwijl het meisje aan de deur stond te morrelen, sloop hij

op haar af en greep haar van achteren beet. Casper gooide Jasmine op zijn schouders en hield haar benen stevig vast zodat ze niet meer kon wegkomen.

"Laat me los!" schreeuwde Jasmine. "Ik wil dit paard!" Ze schopte zo wild om zich heen dat ze met haar jasje aan de struiken bleef haken zodat er een stukje afscheurde.

Maar Casper had haar goed vast. "Hier zit helemaal geen paard!" riep hij en zonder Jasmine los te laten, droeg hij haar terug naar de manege.

Zonder dat iemand het merkte, zwaaide de staldeur langzaam open. Amika, die al wekenlang opgesloten zat in de donkere stal, snoof de frisse lucht gretig op. Zodra hij doorhad dat er niemand was om hem tegen te houden, galoppeerde hij weg in de richting van het bos...

Een cadeautje voor Merel

Merel had haar papa beloofd om die avond vroeg thuis te zijn zodat ze haar verjaardag samen konden vieren. Zodra ze klaar was met haar werk, wilde ze naar huis. Ze liep snel langs de hooizolder om dag te zeggen tegen Julie.

Julie was er niet, maar er wachtte Merel een erg leuke verrassing. In het midden van het stro stond een koelemmer met een fles limonade erin klaar. Op een strobaal zat een klein popje dat plots begon te bewegen.

"Hieperdepiep, hoera!" klonk het vrolijk. Merel herkende onmiddellijk de stem van Jan. Haar buik ging meteen kriebelen. Merel had Jan de hele dag niet gezien. Hij had de hele dag moeten werken in de kantine met de voorbereidingen voor het feest van Marie-Claire. Julie moest hem gezegd hebben dat het haar verjaardag was!

"Dit is zo lief!" lachte Merel.

"Gefeliciteerd, Merel!" Jan kwam vanachter de strobaal tevoorschijn en gaf haar het zelfgemaakte popje.

"Dankjewel…" Merel boog zich voorover naar Jan en gaf hem een onhandige zoen. Haar wangen waren gloeiend heet en haar vingers ijskoud en ze trilde over heel haar lichaam toen ze naast hem in het stro ging zitten.

"Het is maar een kleinigheidje," excuseerde Jan zich.

"Dit is perfect!" Merel was echt heel blij met het popje en ze drukte het dicht tegen zich aan. Ze zou het altijd bij zich houden, zo zou Jan ook altijd een beetje bij haar zijn.

Jan schonk limonade uit en gaf haar een beker alsof het een glas champagne was. Merel nipte eraan en volgens haar smaakte het zelfs naar champagne. Omdat het zo krap was in het hooikamertje, zaten ze zo dicht tegen elkaar dat hun armen elkaar raakten. Merel voelde de tintelingen van haar arm door haar hele lichaam trekken. Het liefst wilde ze hier voor altijd zo blijven zitten, dicht bij Jan. Zwijgend zaten ze naast elkaar, maar dat vond Merel helemaal niet erg. Ze was in de zevende hemel. Dit was het beste moment ooit.

"En... ben je nog iets speciaals van plan vanavond?" vroeg Jan onhandig omdat Merel bleef zwijgen.

Merel schrok op uit haar gedachten en keek op haar horloge. Ze was de tijd helemaal vergeten! "Oo, ik moet naar huis!" zei ze teleurgesteld. "Mijn papa wacht..."

Jan beet op zijn lip. Had hij maar gezwegen dan was Merel vast nog een beetje gebleven. En Merel wilde niets liever dan blijven, maar dan zou ze thuis weer een heleboel uit te leggen hebben. Ze aarzelde even, maar gaf Jan dan een vluchtig kusje op zijn wang en sprong snel op zodat hij de vuurrode blos op haar wangen niet zou zien. Jan keek haar verliefd na.

Merel rende naar haar fiets en nam verstrooid haar telefoon op toen die plots ging rinkelen. Het was haar papa. "Waar blijf je?" vroeg hij bezorgd.

"Ik kom er zo aan!" beloofde Merel. "Ik stap net op mijn fiets." Maar voor ze dat ook echt kon doen, wankelde Chanel op hoge hakken voorbij. Ze had een enorme berg posters van Marie-Claire in haar armen. Die moesten - opdracht van Marie-Claire - nog opgehangen worden in de kantine.

"Merel, kun je me alsjeblieft even helpen?" smeekte ze toen ze Merel zag.

Merel aarzelde. "Ik moet eigenlijk naar huis," zei ze. Maar Chanel zag er zo meelijwekkend uit en toen er enkele posters van de stapel op de grond vielen, besloot Merel dat ze wel even kon helpen. Ze raapte de gevallen posters op en liep met Chanel naar de kantine waar de eerste gasten net begonnen te arriveren.

De posters waren snel opgehangen en Merel wilde net wegglippen toen ze tegen mevrouw de la Fayette opbotste.

"Oh, Merel!" zei die toen ze Merel opmerkte, "kan jij de bar in orde maken?" Merel aarzelde. Ze moest nu toch echt wel naar huis. "Tien minuutjes?" drong mevrouw de la Fayette aan. "En anders hoef je morgen niet meer terug te komen!" voegde ze er een beetje boos aan toe omdat Merel niet snel genoeg antwoord gaf. Wat kon Merel anders doen als ze haar baantje wilde houden? Zeer tegen haar zin liep ze naar de bar en begon met het uitschenken van cocktails.

Marie-Claire voelde zich een echte prinses toen ze in haar oogverblinde rode baljurk naar haar feestje liep. Ze wist dat ze er prachtig uitzag. Er was al heel wat volk in de zaal, en ze nam bijna verveeld de complimentjes en cadeautjes in ontvangst. De enige gast die ze echt wilde zien - en dat was Casper natuurlijk - was nog steeds niet gearriveerd. Ongeduldig liep ze naar de bar. Tot haar grote ergernis ontdekte ze Merel achter de bar.

"Kijk eens wie we daar hebben!" zei ze bits.

"Gefeliciteerd met je verjaardag," zei Merel beleefd.

Marie-Claire keek Merel koel aan. "Ik heb dorst!" zei ze.

"Wat wil je hebben?"

"Een groene cocktail!" Marie-Claire keek nauwlettend toe hoe Merel een groene cocktail inschonk en nam hem zonder te bedanken aan. Zodra ze haar drankje had, draaide ze zich op haar hakken om en liep naar Chanel die braafjes op de uitkijk stond tot Casper zou opdagen. Merel stak bijna haar tong naar haar uit, zo'n hekel had ze aan dat verwende wicht. Maar omdat ze zag dat mevrouw de la Fayette haar in de gaten hield, ging ze snel verder met haar werk.

De tijd vloog voorbij. Merel had het druk met cocktails maken en serveren. Ondertussen begon ze zich vreselijk zorgen te maken. Ze moest eigenlijk al lang thuis zijn. Wat zou haar papa wel niet denken? Hij zou doodongerust zijn omdat ze wegbleef. Zodra ze kon, zou ze wegglippen. Maar ze geraakte maar niet weg van achter de bar...

Marie-Claire keek voortdurend op haar horloge. Het feest was al in volle gang en Casper was er nog steeds niet. Maar eindelijk na lang wachten, kwam Chanel naar binnen gestormd. Casper kwam eraan, eindelijk!

Marie-Claire wapperde zenuwachtig met haar handen. Hoe zag ze eruit? Goed? Chanel zei haar dat ze er prachtig uitzag, maar kon ze Chanel wel geloven? Marie-Claire haalde voor alle zekerheid haar make-up nog snel tevoorschijn en stiftte haar lippen bij. Ze schikte haar jurk en ging bevallig aan een tafeltje dicht bij de ingang staan zodat Casper haar meteen zou opmerken zodra hij binnenkwam. Marie-Claires hart bonkte in haar keel toen de deur openging en Casper binnenkwam. Hij zag er onweerstaanbaar uit in zijn witte linnen pak. Ze begreep niet waarom niet alle meisjes in zwijm vielen. Wat was hij knap! Haar hart sloeg een tel over toen hij haar richting uitkeek. Ze zou flauwvallen als hij haar nu niet opmerkte. Gelukkig liep alles precies zoals ze had gehoopt... Zodra hij haar in het oog kreeg, liep Casper met open armen op haar af. Marie-Claires hart bonkte in haar keel. Alles was precies zoals ze had gedroomd.

"*Hello gorgeous,*" zei Casper verleidelijk, "heb ik je al gezegd hoe fantastisch jij eruit ziet vanavond?"

"Dankjewel..." Marie-Claire knipperde zwoel met haar ogen. Het was zover.

"Zin om te dansen?" stelde Casper voor.

Marie-Claire wilde niets liever. Ze sloot haar armen om Caspers nek en was vast van plan om hem de rest van de avond niet meer los te laten.

Jammer genoeg had haar broer andere plannen...

Het verjaardagsfeest

Merel kwam handen te kort achter de bar. Er waren enorm veel gasten op het feestje van Marie-Claire en iedereen wilde de cocktails proeven. De gedachte aan haar papa die thuis op haar zat te wachten, deed haar nog sneller werken. Ze wilde hier weg! Zodra ze de kans zag, zou ze wegglippen.

"Merel, breng je even drie aardbeicocktails naar de dj's," commandeerde mevrouw de la Fayette. Merel knikte en schonk haastig drie glazen tot aan de rand vol met de knalrode cocktail. Twee glazen kon ze zo dragen, maar voor drie glazen had ze een dienblad nodig. Merel zette de overvolle glazen op een dienblad en tilde dat voorzichtig op. De drie glazen schoven vervaarlijk heen en weer over het natte dienblad.

"Sorry... excuseer... sorry..." zei Merel. Ze probeerde zich een weg tussen de dansende mensen te banen, wat erg moeilijk was want iedereen stond tegen elkaar gedrukt te dansen.

In haar ooghoek merkte ze Olivier en zijn rare vriend Gringo op die langs een raampje achteraan in de kantine naar binnen gekropen waren. Het feestje was in volle gang en Olivier keek lekkerbekkend naar de mooie meisjes die er waren. Hij zou straks flink de versiertoer opgaan, maar eerst moest hij zijn zus nog een lesje leren omdat ze hem niet uitgenodigd had. Olivier zag Merel aankomen met het overvolle dienblad. Zijn ogen dwaalden door de zaal. Bij zijn voeten lag een lichtkabel die dwars door de zaal lag. Als hij het juiste moment afwachtte dan...

Marie-Claire zweefde met Casper over de dansvloer. Ze voelde zich zo gelukkig en mooi en verleidelijk. Haar feestje was een succes. Iedereen die ze had uitgenodigd was er, behalve Hedwig die met haar papa naar Milaan was. Pech voor Hedwig, dacht Marie-Claire. Zij miste mooi het feestje van de eeuw. Maar dat was allemaal niet meer belangrijk nu. Het enige dat telde, was dat Casper er was. Casper, de knapste jongen van de hele manege, Casper in zijn witte pak, Casper naar wie ze al zo lang verlangde en die nu eindelijk zijn armen om haar heengeslagen had en romantisch dicht tegen haar aandanste. Casper die nu diep in haar ogen keek. Dit was het moment waarvan ze gedroomd had! Marie-Claire hield haar hoofd een beetje schuin en tuitte haar lippen. Casper strekte zijn nek een beetje... Nu zou het gebeuren.

'*Baby hold me close to you, baby kiss me, I want you...*' klonk het romantisch door de boxen.

Marie-Claire sloot haar ogen, klaar voor het ultieme moment, het hoogtepunt van haar feestje: de langverwachte zoen van Casper...

"Aargh!" Een ijselijke kreet deed haar oren tuiten.

Precies op het moment dat Merel over de lichtkabel wilde stappen, gaf Olivier er een stevige ruk aan. Merel struikelde. De drie rode aardbeiencocktails schoven van het dienblad en de inhoud belandde op het kraakwitte pak van Casper... Het was Casper die zo vreselijk gilde.

Marie-Claire sprong geschrokken achteruit.

Merel schaamde zich kapot toen ze de druipnatte Casper zag, en Casper zelf was door het dolle heen.

"Mijn kostuum!" gilde hij toen hij de bloedrode vlekken op zijn witte pak zag.

Merel probeerde met een handdoek de rode vlekken weg te vegen, waardoor de vegen alleen maar groter werden.

Casper duwde haar ruw opzij. "Niet wrijven!" riep hij.

Merel deed een stap achteruit. Ze kon wel door de grond zakken.

"Dit is verschrikkelijk! Ik moet naar huis!" zei Casper. Hij rolde met zijn ogen en keek wild om zich heen alsof hij zich afvroeg waar de taxi was die hem zou meenemen.

"Maar... we moeten nog dansen?" stamelde Marie-Claire.

"Dit is een met de hand gemaakt kostuum uit Italië!" snauwde Casper. Hij kon haast niet geloven dat Marie-Claire niet wist hoe kostbaar zijn pak wel was. "Het moet onmiddellijk in de was!" En zonder zich nog om iemand te bekommeren, liep hij naar de uitgang.

Marie-Claire kon wel huilen van woede.

"Dat deed je express!" gilde ze tegen Merel. "Je bent jaloers omdat Casper van mij is en niet van jou!"

"Ik deed het echt niet express..." stamelde Merel, maar Marie-Claire hoorde haar niet meer. Ze liep krijsend achter Casper aan.

"Casper wacht!" riep ze nog, maar ze was te laat. Toen Marie-Claire buiten kwam, zag ze nog net de rode achterlichten van Caspers cabrio in de verte verdwijnen. Snikkend liet ze zich op de grond zakken. Haar hele feestje was verpest. Haar hele verjaardag was verpest! En dat was allemaal de schuld van Merel...

De andere gasten staarden Merel beschuldigend aan. Merel bukte zich en raapte met een vuurrood gezicht de gevallen glazen op en zette ze onhandig op het dienblad. Toen ze overeind kwam, keek ze recht in de ogen van Olivier. Gegeneerd wendde hij zijn hoofd af. Olivier was nog erger beschaamd dan Merel. Hij had de feestavond van zijn zus inderdaad verpest, maar daar was Merel de dupe van...

Chanel nam het dienblad van haar over. "Ik denk dat je maar beter kunt weggaan," zei ze. Merel knikte. Zonder nog om te kijken liep ze naar de achterdeur. Ze wenste vurig dat ze onderweg naar haar fiets niemand meer zou tegenkomen.

Merel griste haar fiets van de muur en fietste weg langs het bospad. Algauw sloot de donkere nacht zich om haar heen en het kabaal van het feestje werd overstemd door de geluiden van het bos. De gloeiende schaamte die ze daarstraks gevoeld had, gleed als een zware last van haar schouders. Merel stopte even en haalde diep adem. Ze kikkerde helemaal op van de koude avondlucht. Plots schrok ze op van een geluid langs de kant van het pad. Er ritselde iets in de struiken. Merel tuurde ingespannen in het donker tot ze een gedaante tussen de boomstammen zag staan. Het was een paard. Het weinige licht dat door de bomen viel, weerkaatste op zijn witte vacht. "Amika," fluisterde Merel hees. Hoe kwam die hier? Merel legde haastig haar fiets neer en stapte zonder angst naar het paard toe. Amika trappelde onrustig heen en weer, maar toen hij Merels geur herkende, bleef hij rustig staan.

"Wat doe jij hier?" vroeg Merel terwijl ze lief zijn nek streelde. "Hoor jij niet in bed te liggen? Of ben je aan het slaapwandelen?"

Amika tilde bruusk zijn kop op. Enkele jongens kwamen met veel kabaal het bospad af. Merel liep haastig terug naar de weg om de jongens uit de buurt van het paard te houden.

"Sst!" siste ze, maar het was te laat. De jongens hadden Amika gezien.

"Kijk, een wit paard! - Hey, is Sinterklaas er ook?" schaterden ze.

"Rustig, niet zo schreeuwen!" siste Merel een beetje boos.

"En jij bent Zwarte Piet!" lalde een jongen die duidelijk te veel cocktails ophad. "Je ziet er anders niet uit als een Zwarte Piet, hoor."

"Alsjeblieft, loop door," smeekte Merel. Gelukkig hadden de jongens er al gauw genoeg van en ze liepen luid zingend door. Merel draaide zich om naar het donkere bos. Amika was weg.

Ze staarde naar de plek waar Amika daarnet had gestaan en naar het bos dat het paard had opgeslokt. Ze schrok toen haar gsm begon te rinkelen. Haar papa... Er stonden al drie onbeantwoorde oproepen. Ze had de telefoon niet gehoord omdat de muziek te luid stond.

"Merel, eindelijk!" riep hij opgelucht toen Merel opnam. "Waar blijf je? Ik was doodongerust."

"Sorry," zei Merel, "er kwam iets tussen. Ik kom er nu echt aan. Beloofd." En ze drukte af. Merel staarde naar de plek waar Amika daarnet nog stond. Wat deed hij hier? Hij was vast ontsnapt. Wist Jan hiervan? Jan moest onmiddellijk komen. Merel zocht het nummer van Jan en probeerde te bellen. Maar haar telefoon deed niets meer. Ze had geen beltegoed meer...

"Nee, hè," zuchtte Merel. Wat moest ze doen? Ze keek nog een keer naar het donkere bos, stapte toen kordaat op haar fiets en fietste naar huis. Ze zou Jan van thuis proberen te bereiken...

Verontschuldigingen

Merel trapte zo snel ze kon. Toen ze door het donkere voortuintje liep, dacht ze eerst dat er niemand thuis was, zo donker was het binnen. Ze zette haar fiets tegen de muur en liep naar binnen. Haar papa zat bij één half opgebrande kaars in de woonkamer op haar te wachten. Zijn gezicht dat anders altijd leek te lachen, stond ernstig en verdrietig.

"Sorry, sorry," verontschuldigde Merel zich. "Ik wilde je bellen maar ik had geen beltegoed. En ik moest overwerken." Dit voelde echt niet lekker, maar voor een keer was het de waarheid.

Haar papa stond op en knipte het licht aan. Zijn ongerustheid omdat Merel niet kwam opdagen en ook haar telefoon niet opnam, was omgeslagen in woede.

"Wat is het nummer van je baas?" zei hij geërgerd. "Ik wil hem persoonlijk zeggen wat ik ervan vind dat jij op je verjaardag moet overwerken!"

"Dat doe je niet," zei Merel. "Mijn baas is al lang naar huis en als je nu belt dan hoef ik vast nooit meer terug te komen."

Haar papa zuchtte. En Merel had zo'n spijt... Waarom kon ze hem niet gewoon de waarheid vertellen? Er kwam een heerlijke geur uit de keuken. Haar papa had vast iets heel lekkers klaargemaakt voor haar verjaardag. Plots voelde Merel dat ze reuzenhonger had. Ze had sinds het stuk taart dat ze gedeeld had met Julie, niets meer gegeten. Haar maag rammelde. "Gaan we dan nu eindelijk eten?" vroeg ze lief.

"Oeps! De oven!" Haar papa haastte zich naar de keuken en haalde een half verbrand gebraad uit de oven.

Terwijl hij bezig was met het redden van het eten, sloop Merel naar de telefoon. Ze wilde Jan bellen met de vaste telefoon. Maar Jan nam niet op: hij had intussen de lege stal van Amika ontdekt...

Het verjaardagsfeestje in de kantine was in volle gang. Maar Marie-Claire had er helemaal geen zin meer in. Zonder Casper vond ze er niets aan. Verdrietig stond ze aan de kant toe te kijken terwijl de anderen zich amuseerden. Zelfs Chanel had het naar haar zin en wierp steeds steelse blikken naar Gringo. Die rot-Merel had alles verpest door die cocktails over het pak van Casper te gooien. En natuurlijk had ze dat express gedaan. Merel was jaloers op haar, stikjaloers en ze gunde haar niets. Daarom had ze Casper weggejaagd. Marie-Claire slurpte boos van haar drankje. Plots zwaaide de deur van de zaal open en een hysterisch gillende vrouw kwam op het feest binnengestormd.

"Aaargh!" gilde ze luid. "Ik ben aangevallen door een wild paard!" De dj zette onmiddellijk het volume van de muziek stil en de mensen verdrongen zich om de vrouw. Het was de moeder van Chanel. "Het was verschrikkelijk!" krijste ze. "Ik ben in mijn leven nog nooit zo bang geweest! Ik had wel dood kunnen zijn!" jankte ze.

Marie-Claires moeder duwde wat mensen opzij en gaf de vrouw een glas wijn dat ze in één teug leegdronk. "Rustig..." commandeerde ze, "hoe zag dat paard eruit?"

"Wit, gigantisch wit, met hier zo een grijze vlek!" ratelde de vrouw. Ze rolde met haar ogen en maakte op haar voorhoofd het teken van een hartje. Waarna ze een tweede glas wijn naar binnen klokte.

Een wit paard met een hartvormige bles. Dat was Amika!

"Amika! Hij is ontsnapt!" blies Marie-Claire woest. "Eerst Casper en nu dit! Het is allemaal de schuld van dat rotkind! Het is overduidelijk dat zij hierachter zit. Ze saboteert hier de hele boel! Dat meisje haat mij!"

Op dat moment barstte luide muziek uit de boxen. Olivier had postgevat achter de draaitafels.

"Olivier!" krijste Marie-Claire boven de muziek uit. Dat vervelende broertje van haar werkte echt op haar zenuwen. Ze wilde op hem afstormen om hem een flinke uitbrander te geven, maar haar moeder hield haar tegen. "We moeten Amika vinden voor je papa hier achterkomt!" zei ze streng. "Ik haal Jan en jij gaat meteen naar huis. Je zorgt ervoor dat je vader binnenblijft. Heb je dat goed begrepen?"

Marie-Claire stampvoette. Waarom moest dit uitgerekend vanavond gebeuren?

Terwijl haar moeder op zoek ging naar Jan en Amika, haastte zij zich naar het huis waar haar papa zat te genieten van een rustige avond in zijn eentje.

Het poppenhuis

Merel probeerde van het eten te genieten (tomatensoep met balletjes, gevolgd door gebraad met kroketjes) maar de gedachte aan Amika die ontsnapt was en in het donker door het bos liep, liet haar niet gerust. Ze moest Jan waarschuwen. Ze probeerde rustig op haar stoel te blijven zitten zodat haar papa niet zou merken dat er iets aan de hand was.

Eindelijk waren ze klaar met eten. Haar papa legde zijn bestek neer op zijn bord en schraapte zijn keel. "En dan is het nu tijd voor het grote moment!" zei hij plechtig. "Eén minuutje geduld…" Hij sprong op en verdween in de knutselkamer.

Zodra hij de kamer uit was, liet Merel zich van haar stoel glijden en liep naar de telefoon. Haar hart klopte wild in haar keel toen ze het nummer van Jan intoetste. Ze deed een schietgebedje. 'Alsjeblieft, Jan, neem op!' schoot het door haar hoofd toen ze de telefoon hoorde overgaan. Zo dadelijk zou haar papa terugkomen en moest ze inhaken.

Gelukkig nam Jan deze keer wel onmiddellijk op.

"Jan, Merel hier!" fluisterde ze.

"Sorry, Merel, ik heb geen tijd nu, er is iets vreselijks gebeurd," zei Jan. Jan stond met mevrouw de la Fayette bij de lege stal van Amika.

"Ja, ik weet het! Amika is ontsnapt. Hij liep los en ik kon er niets aan doen." Merel was opgelucht dat hij het al wist.

"Was jij erbij dan? Merel, ben je bij de stal van Amika geweest?" vroeg Jan ongerust. "De deur stond open!"

"Nee!" zei Merel, maar voor ze verder kon praten, kwam haar papa de kamer binnen. Zonder nog iets te zeggen, hing Merel op en draaide zich om naar haar papa die gelukkig niet had gemerkt dat ze gebeld had.

"Ben je er klaar voor?" vroeg hij stralend. Hij hield de deur naar de knutselkamer voor haar open.

Merel hapte naar adem toen ze zag wat haar verjaardagscadeau was: in het midden van papa's werktafel stond het houten poppenhuis dat vroeger van haar mama was geweest. Ze had er nooit mee mogen spelen, maar nu had haar papa het voor haar opgeknapt.

Merel streelde over het houten dak en tuurde naar de prachtig herschilderde muren en de miniatuur meubeltjes; het tafeltje in de mini-eetkamer stond zelfs gedekt met een echt piepklein serviesje. Het was schitterend! Haar ogen blonken van verwondering.

"Je moeder wou het je geven voor je zestiende verjaardag," zei haar papa stil. "Dus… nu doe ik dat maar…"

Merel was sprakeloos en dolblij. Zodra haar papa haar alleen liet met het poppenhuis, haalde ze het popje van Jan uit haar zak en liet hem het huis ontdekken. Ze trok de kastjes en deurtjes open. Ze keek vreemd op toen ze in een van de kastjes een klein sleuteltje aantrof. Waar paste dit op? Ze zocht het hele poppenhuis af, maar nergens was een sleutelgat te vinden. Toen herinnerde Merel zich een metalen kistje dat boven op mama's kamertje stond. Ze had het kistje nooit open gezien. Zou het sleuteltje daarop passen? Er was maar één manier om daar achter te komen.

Voor ze naar bed ging, sloop Merel naar mama's kamertje en zocht het kistje dat ergens achteraan in een kast stond. Zodra ze het kistje gevonden had, duwde ze het piepkleine sleuteltje in het slot en ja hoor: het paste. Het kistje klikte open. Binnenin lag een dagboek. 'Sofie Jacobs' stond er met goudkleurige letters in het leer gedrukt. Het was het dagboek van haar moeder. Merel hapte naar adem toen ze het dagboek uit het kistje nam. Dit was van haar moeder geweest! Ze propte het dagboek haastig onder haar trui, sloot het kistje terug af en zette het terug waar ze het gevonden had. Zodra ze in bed lag, haalde ze het dagboek tevoorschijn en sloeg het open.

Helemaal vooraan zat een handgeschreven brief. Merels ogen vlogen over het blad.

'Liefste Merel,' las ze… 'Als je deze brief leest, heb je mijn dagboek gevonden. Ik heb het geschreven toen ik zestien was en nu is het voor jou. Vandaag word je zo oud als ik was toen ik dit boekje schreef. Misschien dat je er iets aan zult hebben als je problemen moet oplossen, met vragen of twijfels zit, of

het gewoon eventjes moeilijk hebt. Ik hou va,
moeder Sofie.'
Merel kreeg tranen in haar ogen en ze slikte har
had deze brief voor haar geschreven. Ze c
tegen haar borst en sloot een moment haar ogen. Dankjewel
mama," fluisterde ze. Zou haar mama het horen? Merel wist
bijna zeker van wel. Ze sloeg het dagboek open op de eerste
bladzijde en begon te lezen...

Nog meer leugens

Marie-Claire deed haar uiterste best om haar vader weg te houden van het tumult buiten, maar het mislukte. Zodra Marie-Claire kwam binnenlopen, had hij in de gaten dat er iets aan de hand was.

"Hé, is het niet leuk op je feestje?" vroeg haar vader verbaasd.

"Ja hoor," zei ze zo vrolijk mogelijk, "ik kwam alleen even kijken hoe het met jou ging."

Haar vader keek haar verrast aan. Marie-Claire was anders nooit zo meelevend. Plots zag hij buiten voor het raam het geflikker van zaklampen.

"Wat is dat?" vroeg hij verbaasd. Hij stond op en liep naar het raam. Jan liep zwaaiend met een zaklamp over het gazon.

"Wat doet Jan daar met een zaklamp?" vroeg hij verbaasd.

"Bwah, met Jan weet je nooit hé," zei Marie-Claire.

"En je moeder ook! Zeg, wat is hier aan de hand?"

"Niets," zei Marie-Claire zenuwachtig. "Helemaal niets. Zullen we samen tv-kijken?"

"Ik wil weten wat hier aan de hand is," zei haar vader en hij liep naar de deur.

"Papa, wacht!" probeerde Marie-Claire nog, maar ze was te laat. Haar vader liep met grote passen over het gazon in de richting van de kantine. Marie-Claire kon wel huilen. Kon het nog erger? Haar hele avond was al verpest en nu zou hij ook nog te weten komen wat er met Amika aan de hand was.

Toen ze vlak achter haar vader op het feestje binnen kwam stormen, keek haar moeder haar woedend aan. "Ik kan ook niets aan jou overlaten, hé!" siste die kwaad. Marie-Claire trok een pruillip. Ze had het echt wel geprobeerd.

De moeder van Chanel had ondertussen haar vader vastgegrepen. "Ik ben ontsjnapt aan een m-moordaansjlag!" hakkelde ze dronken. "Dat beesjt wasj waansjinnig!"

Meneer de la Fayette keek haar verbijsterd aan. "Welk beest?" vroeg hij.

"Datj witsje paard met die grijsssjche dinges hier..." lalde ze en ze tekende een hartje op haar voorhoofd.

"Is Amika ontsnapt?" vroeg haar papa verbaasd. Niemand gaf antwoord. "Ik heb er genoeg van," zei haar papa fel. "Ik wil Amika zien!"

Marie-Claire beet van zenuwen een stuk van haar perfect gevijlde nagels. Ze deed net zoals haar moeder een schietgebedje. En dat leek nog te werken ook...

Jan had Amika teruggevonden langs de buitenpiste en was erin geslaagd om hem naar zich toe te lokken en aan te lijnen. Hij had het fel tegenstribbelende paard ondertussen teruggezet in zijn vroegere stal op de manege.

Tegen de tijd dat Herbert de la Fayette bij de stallen aankwam, was Amika een beetje gekalmeerd en hij stond doodstil in de donker stal.

"Heb je Amika al gevonden?" vroeg Marie-Claires papa.

Jan knikte. "Aan de buitenpiste..."

"En... was hij agressief? Wild?"

"Nee, hij was rustig... zoals altijd," loog Jan.

Meneer de la Fayette keek in de donkere stal. Amika bewoog geen spiertje. Hij wilde het paard van dichterbij bekijken en opende de staldeur. Maar zodra het paard de klik van de deur hoorde, schrok het op uit zijn verdwazing. Amika reageerde woest en steigerde en stampte met zijn hoeven naar de deur. De paarden in de nabijgelegen stallen schrokken op en begonnen luid te hinniken. Marie-Claire zonk bijna door de grond. Nu zou het komen...

Haar papa gooide de deur haastig dicht. "Wat is hier aan de hand?" vroeg hij. "Wat gebeurt hier allemaal? Is dit de eerste keer dat hij zo raar doet?"

Jan wilde zo graag de waarheid zeggen, maar mevrouw de la Fayette keek hem streng aan.

"Ja," loog Jan opnieuw. "Normaal is hij rustig..."

"Ik begrijp er niets van!"

Amika bonkte hard tegen de deur en hinnikte hysterisch. De andere paarden leken aangestoken door zijn razernij en reageerden bijna even heftig. "Hij kan hier niet blijven!" zei meneer de la Fayette. "Hij maakt de andere paarden gek! Zijn er nog stallen vrij aan de zijkant?"

"Nee." Jan schudde zijn hoofd. "Ze zijn allemaal volzet. Alleen de oude stal staat nog leeg."

"De oude stal? Dat is toch geen oplossing? Daar is geen daglicht." Hij keek ontzet. Hij ging zijn beste paard toch niet in de slechtste stal van het hele domein zetten?

"Tja, als hij hier blijft, maakt hij de paarden van de klanten gek. Er zit niks anders op dan hem in de oude stal te zetten…"

Marie-Claire's vader had geen andere keuze. "Oké," zei hij zeer tegen zijn zin. "Breng hem naar de oude stal, maar maximum voor drie dagen. En ik wil weten wie hier verantwoordelijk voor is!"

Een nieuw aanvalsplan

Na het tumult over Amika was de pit uit het feestje van Marie-Claire en de gasten gingen bij bosjes naar huis. Hoewel ze opgelucht was dat haar vader niet de hele waarheid te weten was gekomen (nog niet), vond Marie-Claire er niets meer aan. Ze droop dan maar teleurgesteld af naar haar kamer. De hele avond was mislukt en dat was de schuld van Merel. Om zichzelf wat op te kikkeren, belde ze Hedwig in Milaan. Dat haar papa een gigantische telefoonrekening zou moeten betalen, kon haar niet schelen. Na zo'n vreselijke avond had ze wel een opkikkertje verdiend, toch?

"Het is allemaal de schuld van Merel," klaagde ze aan de telefoon. "Ik was bijna met Casper aan het kussen en dan gooit zij drankjes over hem heen... Denk je dat het ooit nog goed komt?"

"Hm," zei Hedwig die het zich probeerde voor te stellen: Casper in een wit pak met bloedrode vlekken. Jammer dat ze dat gemist had. "Even denken: een nieuw wit pak, afgaan voor publiek én een mislukte zoen? Ik denk dat het lastig wordt..."

"Waarom doet ze zoiets?" vroeg Marie-Claire klagerig. Ze sloeg kwaad op haar dekbed, al had ze liever Merel zelf als boksbal gehad.

"Ach," troostte Hedwig haar, "dat heb je met dat soort typetjes. Het moet ook niet leuk zijn om arm te zijn, hé..."

Marie-Claire dacht even na. "Je hebt gelijk," vond ze. "Ik kan er ook niet aan doen dat ik de mooiste en de rijkste ben. Maar weet je wat? Ik laat me niet doen door Merel. Niemand kan op tegen Marie-Claire de la Fayette," zei ze. "Niemand!"

"Zo mag ik het horen!" glimlachte Hedwig.

Marie-Claire voelde zich meteen een stuk beter. Het was tijd voor actie. Ze zou ervoor zorgen dat Merel gestraft werd voor wat ze haar had aangedaan!

De volgende ochtend had Marie-Claire haar aanvalsplan klaar. Ze had van naaldje tot draadje uitgedokterd hoe Merel er in geslaagd was om haar dwars te zitten: Merel was express binnengeslopen op haar feestje om ervoor te zorgen dat Casper en zij niet zouden zoenen en ze had Amika uit de stal laten ontsnappen. Ze had zelfs getuigen: vier jongens hadden Merel met Amika in het bos gezien. Meer bewijs hoefde ze toch niet te hebben? Zodra ze de kans zag, vertelde ze haar moeder het hele verhaal.

"Het is duidelijk," zei ze. "Het is Merel, die vieze stalhulp!" Merel moest ontslagen worden!

Zodra Merel op de manege aankwam, nam Jan haar apart. Merel zag aan zijn gezicht dat hij slecht nieuws had. Heel slecht nieuws.

"Is er iets met Amika?" vroeg ze bang.

Jan schudde zijn hoofd. "Amika zit terug in de oude stal..." zei hij. "Voorlopig... Maar Merel, heb jij de stal van Amika opengemaakt?"

"Natuurlijk niet!" zei Merel onthutst.

"Je hebt gisterenavond zelf toegegeven dat je bij de stal bent geweest."

"Mja..." gaf Merel toe, "maar alleen om hem een wortel te geven. Ik heb de stal niet opengemaakt, echt niet. Dat zou ik nooit doen!"

Jan keek haar strak aan. Merel slikte. Ze sprak de waarheid, echt waar.

Jan zuchtte. "Mevrouw de la Fayette wil dat ik je ontsla," zei hij. Merels ogen werden groot van schrik. Ze wilde hier helemaal niet weg!

"Maar ik heb het echt niet gedaan," zei ze vol ongeloof.

Jan geloofde Merel wel. Maar dat was niet genoeg.

"Als ik voor vier uur kan bewijzen dat jij het niet was," zei hij, "dan mag je blijven. En geloof me, ik zal mijn uiterste best doen om uit te zoeken wat er precies gebeurd is. Iemand heeft de stal opzettelijk opengemaakt. En als jij het niet deed, moet ik uitzoeken wie het wel was."

Merel ging met lood in haar schoenen aan het werk. Ze hoopte vurig dat Jan iets bij de stal zou vinden dat zou bewijzen dat niet zij de stal had opengemaakt.

En Jan deed inderdaad zijn best. Maar er waren zoveel

voetsporen rond de stal dat hij niet kon uitmaken van wie ze allemaal waren. In de struik naast de stal wapperde een stukje stof in de wind. Jan plukte het stukje glitterstof uit de struik en stopte het in zijn zak. Hoe kwam dat hier terecht? Het was in elk geval niet van Merel. Maar van wie dan wel? Jan zuchtte. Het enige echte bewijs dat hij vond was een stukje van de wortel die Merel aan Amika had gevoerd. De enige van wie hij zeker wist dat ze bij de stal was geweest, was Merel. Alles wees in de richting van Merel. Toch wist Jan bijna zeker dat ze de deur niet had opengemaakt…

"En? Heb je iets gevonden?" vroeg Merel ongerust toen hij diep in gedachten verzonken terug naar de manege liep.

Jan schudde zijn hoofd. Hij wist zeker dat Merel onschuldig was, maar zonder bewijs zou ze nooit mogen blijven van mevrouw de la Fayette. "Het spijt me…" zuchtte hij. "Ik vind het echt heel erg dat je weg moet…"

"Het is oké," zei Merel.

"Nee, het is niet oké," zei Jan kwaad. "Maar ik kan niet anders."

Merel keek hem aan als een gewond vogeltje aan. Dit was toch niet eerlijk? Jan voelde de boosheid opwellen in zijn buik.

"Sorry," zei hij weer. "Maar ik moet doen wat Marie-Louise de la Fayette wil. Als ik dat niet doe, dan mag Julie niet meer op de manege komen."

Merel schrok. Wat had Julie hiermee te maken? "Dat is chantage," zei Merel. "Heb je niets tegen meneer de la Fayette gezegd?" Jan schudde zijn hoofd en eindelijk vertelde hij Merel de hele waarheid over Amika. De reden waarom hij moest zwijgen over Amika.

"Marie-Claire heeft Amika een jaar geleden gekregen voor haar 15de verjaardag," vertelde hij. "Het was het beste en duurste paard dat ooit op de manege had gestaan. Maar het ging al snel mis. Marie-Claire kon Amika duidelijk niet de baas. Ze probeerde het paard onder controle te krijgen door er agressief tegen te zijn, maar dat pikte Amika niet. Amika luisterde niet naar Marie-Claire en gooide haar uit het zadel. En Marie-Claire die viel, dat kon natuurlijk niet. Zij, de beste amazone van de manege, kreeg het duurste paard van de hele manege niet onder controle?! Haar moeder wilde niet dat iemand het te weten zou komen dus verstopten ze Amika in de oude stal en verzwegen alles voor meneer de la Fayette. Tot ze een manier zouden vinden om van Amika af te komen. Ik was de enige die alles wist, maar ik mocht niets zeggen. Anders zou ik mijn baan kwijt zijn en onmiddellijk ontslagen worden en dan zou Julie nooit meer mogen paardrijden. Ik moest wel mijn mond houden. Ik vind wel een nieuw baantje, maar paardrijden is de grootste droom van Julie. En ik kan haar haar droom toch niet afnemen?"

Merel greep zijn hand en kneep erin. Arme, lieve Jan. Nu ze de waarheid wist, vond ze hem nog liever. Maar ze begreep nu ook waarom hij niet tegen mevrouw de la Fayette durfde in te gaan: Jan deed het voor zijn zusje. Merel was er het hart van in, maar ze wist dat Jan niet anders kon.

"Het is niet erg," fluisterde ze, maar ze meende het niet. Ze wilde hier helemaal niet weg. Het was zo unfair. "Wat gebeurt er met Amika?" vroeg ze met een krop in haar keel.

Jan zuchtte. "Nu meneer de la Fayette weet hoe slecht hij er aan toe is, ziet het er niet goed uit voor Amika... Hij kan hier niet langer blijven. In het beste geval wordt hij verkocht aan een andere manege..."

Een nieuwe vriendin

Merel keek met een zwaar hart op haar horloge. Het was drie uur. Ze had niet veel tijd meer. Dit was misschien haar laatste dag in de manege. In gedachten verzonken liep ze langs de buitenste stallen. Ze zou de paarden missen. Ze zou Amika missen. En Jan, die meer dan wie ook…

Merel was niet de enige die verdrietig was. Jasmine stond met een betraand gezicht bij haar paard dat ze half opgetuigd had. Het zadel hing omgekeerd over zijn rug en het paard trappelde nerveus heen en weer.

"Wat is er, Jasmine?" vroeg Merel toen ze het huilende meisje opmerkte.

"Mijn paard doet stom," snikte Jasmine. "Hij luistert niet en hij duwt me de hele tijd."

"Dat is niet lief," troostte Merel die meteen haar eigen verdriet opzijschoof.

"Wil jij me soms helpen?" Jasmine keek Merel smekend aan.

"Ik?" schrok Merel. "Is Casper er niet?"

"Ik wil Casper niet," pruilde Jasmine. "Ik wil jou. Anders wil ik naar huis. Paardrijden is toch stom."

Merel toverde een glimlach op haar gezicht. "Is het echt zo erg? Dan gaan we het samen doen." Ze zette het roze zadel van Jasmine in de juiste positie op de rug van het paard en begon het, geholpen door Jasmine, vast te gespen.

Ze waren net klaar, toen Casper ongeduldig kwam aangelopen.

"Hé, waar denk je dat je mee bezig bent?" snauwde hij boos naar Merel.

"Ik heb haar geholpen…" Merel deed snel een stap achteruit, weg van het paard.

"Ben jij niet die stalhulp die gisteren mijn witte pak verknoeid heeft?" Casper wees met zijn rijzweepje in de richting van Merel.

"Dat was een ongelukje," zei Merel beschaamd. Ze werd meteen weer vuurrood.

Casper griste de teugels uit haar handen. "Dit is niet jouw taak, oké? En jij, Jasmine, meekomen!"

Jasmine knipoogde naar Merel en huppelde achter Casper en het paard aan. Merel keek haar glimlachend na.

Maar Marie-Claire had haar ook gezien... "Wat doe jij hier nog?" vroeg ze kwaad. "Jij was toch ontslagen?"

"Nog niet," zei Merel stout.

"Kan me niet eens schelen!" zei Marie-Claire en ze boog zich naar Merel toe. "Maar als jij nog één keer in de buurt van Casper komt, haal je de avond niet. Begrepen!"

Onschuldig

Om iets voor vier uur ging Merel naar de hooischuur om afscheid te nemen van Julie. Ze had niets meer gehoord van Jan. En dat wilde zeggen dat hij niets gevonden had wat haar onschuld kon bewijzen. Jan kon haar niet helpen, mocht haar niet helpen of hij en Julie werden ook weggestuurd van de manege.

Julie viel haar snikkend om de hals. "Het is niet eerlijk," snikte ze, "ik wil niet dat je weggaat..."

Merel kreeg een krop in haar keel. Zij wilde ook niet weg. Maar het was nu eenmaal zo...

Stipt om vier uur ging haar telefoon over. Mevrouw de la Fayette: of Merel naar de kantine wilde komen. Merel wist hoe laat het was: ze zou moeten vertrekken. Met lood in haar schoenen liep ze naar de kantine. Ze keek nauwelijks op toen ze langs het terras kwam, waar Olivier en Gringo in de zon zaten te luieren...

Binnen zaten mevrouw de la Fayette en Marie-Claire haar op te wachten. Marie-Claire had een enorme, gemene grijns op haar gezicht. Merel keek haar stout aan. Marie-Claire zou haar zin krijgen, maar ze zou haar het plezier niet gunnen om haar te zien huilen. Merel zou zich flink houden.

"Merel, het spijt me," zei mevrouw de la Fayette kortaf. "Ik kan niet anders dan je ontslaan en je vragen om de manege meteen te verlaten."

Hoewel ze wist dat het zou gaan gebeuren, voelde Merel de wanhoop in haar keel opwellen. Het was niet eerlijk. Zij had de stal toch niet opengemaakt? Marie-Claire staarde haar trots en hooghartig aan. Ophoepelen, Merel, zeiden haar ogen.

De deur naar de kantine vloog plots open en Jan kwam helemaal buiten adem binnenrennen. "Stop!" hijgde hij. "Ik weet wie de stal van Amika heeft opengemaakt!" Hij zwaaide met het stukje glitterstof.

Merel keek hem verbaasd aan. Echt? Wie had dan wel de stal opengemaakt? Marie-Claire en haar moeder keken Jan geschokt aan. Maar voor Jan iets kon gaan uitleggen, hoorden ze buiten een oorverdovend kabaal.

"Merel moet blijven!" hoorden ze brullen. Iedereen haastte zich naar buiten.

Voor de ingang stond Julie met een grote pollepel op een kookpot te trommelen. "Merel moet blijven!" schreeuwde ze uit volle borst. Jasmine stond er bij.

"Kan iemand me uitleggen wat hier aan de hand is!?" riep mevrouw de la Fayette boven het kabaal uit.

"Jullie willen Merel ontslaan!" zei Julie.

"Merel heeft de poort van Amika laten openstaan!" zei Marie-Claire. "En daarom is ze ontslagen."

"Maar zij heeft dat niet gedaan!" riep Julie, al wist ze niet wie het dan wel had gedaan.

"Luister hé, peuter," siste Marie-Claire boos tegen Jans zusje. "Merel moet weg. Amika heeft iemand aangevallen en dat is allemaal dank zij haar!" En ze priemde haar vinger in de richting van Merel.

Jasmine stond zenuwachtig op haar benen te wiebelen. "Nee," zei ze. "Merel heeft het niet gedaan... Ik heb het gedaan..." Ze kon niet langer zwijgen: Merel, de enige die vriendelijk en lief tegen haar was geweest op de manege, zou moeten vertrekken door haar schuld...

Merel staarde haar ontzet aan. Had Jasmine de stal echt opengemaakt of zei ze dat alleen om haar te helpen?

Marie-Claire stampte boos met haar voeten in het grind. "Zien jullie dan niet wat ze van plan is?" riep ze kwaad. "Merel probeert zo'n lief klein onschuldig meisje te manipuleren. Een schande is het!"

"Dat denk ik niet," kwam Jan tussenbeide. "Ik heb dit gevonden bij de stal van Amika." Hij gaf het stukje glitterstof aan mevrouw de la Fayette. Het was van Jasmines glitterjasje.

Meer bewijs had ze niet nodig. Merel was onschuldig. Of mevrouw de la Fayette dat nu leuk vond of niet, ze kon Merel niet ontslaan. "Ik denk dat de zaak hiermee is opgelost..." zei mevrouw de la Fayette stijfjes. Ze leek kalm maar vanbinnen kookte ze. "Merel, je kan hier blijven werken als je wil." En natuurlijk wilde Merel niets liever dan dat...

Donkere wolken

Marie-Claire was woest. Merel was haar weer eens te slim af geweest. Wie dacht ze wel dat ze was? Maar dan kende ze Marie-Claire nog niet. Ze liet niet over zich heen lopen en zeker niet door een onnozele stalhulp. Ze zou Merel haar verdiende loon geven! Marie-Claire stond in de kantine op te ruimen na haar feestje. Nijdig griste ze een papieren bekertje van een tafeltje en ze stelde zich voor dat het Merel was. Ze kneep het bekertje helemaal fijn tussen haar vingers en keilde het dan met ongemeen veel kracht in de richting van de vuilzak. "Aaargh!" gromde ze als een woeste beer toen het bekertje ernaast viel.

"Oei!" schrok haar vader die net binnenkwam. "Slechte dag?" Marie-Claire knikte en ze trok een pruillip. Merel was er nog altijd en Casper had vandaag geen woord tegen haar gezegd en dat was allemaal de schuld van Merel. Dit had de gelukkigste dag van haar leven moeten zijn, ze had vandaag een stel moeten zijn met Casper. Maar Merel had alles voor haar verknoeid.

"Ik snap het," zei haar vader terwijl hij natuurlijk helemaal niet doorhad waarom Marie-Claire zo boos was. Hij trok haar tegen zich aan. "Pieker jij ook zo over Amika?" zei hij. "Ik kan maar niet begrijpen hoe alles zo verkeerd is kunnen gaan." Marie-Claire zette haar schijnheiligste gezicht op en keek hem bedroefd aan. Ze slaagde er zelfs in om een traan uit haar ogen te persen. "Ik had nochtans zo hard getraind, papa, allemaal voor niks," zei ze zo verdrietig mogelijk. Ze deed alsof ze in snikken zou uitbarsten en dat was niet moeilijk als ze aan Casper dacht.

"Jammer dat er geen trofee voor volhouding bestaat, hé," glimlachte haar vader.

Marie-Claire voelde zich op slag een beetje beter. "Maar misschien wel een cadeautje?" probeerde ze en ze droomde al van nieuwe jurken en jasjes.

"Misschien wel ja," lachte haar papa, en hij haalde iets uit zijn zak tevoorschijn.

Het was een klein hangertje in de vorm van een hoefijzer. De glimlach verdween van Marie-Claires gezicht. Wat een lelijk ding was dit, zeg!

"Als troost," zei haar vader.

"Dankjewel…" snikte Marie-Claire nu nog bedroefder. Zie je wel, zelfs haar vader had niet meer dan een onnozel hangertje voor haar over… Niemand hield van haar.

Merel was ontzettend opgelucht dat ze mocht blijven. Maar de gedachte aan wat er nu met Amika ging gebeuren, liet haar niet los. Zodra ze kon wegglippen, was ze even naar hem toegegaan, maar ze was erg geschrokken. Amika stond als een razende tegen de deur te stampen en zelfs zij kon hem niet kalmeren. Voor het eerst was Merel bang geweest.

In gedachten verzonken liep ze naar de hooischuur waar Jan en Julie haar opwachtten. Zodra ze Jan zag, ging haar hart sneller slaan. Jan schonk limonade in en ze klonken. "Op de goede afloop!" Het was duidelijk dat hij nog iets wilde zeggen, maar niet goed durfde.

Julie praatte honderduit, maar Merel luisterde bijna niet. Het was alsof er elektriciteit in de lucht hing en elke keer als ze naar Jan keek, gingen alle haartjes op haar arm rechtstaan.

"Julie, als jij nu eens pizza ging halen," onderbrak Jan het getater van zijn zusje.

"Pizza! Hoi!" lachte Julie. "Eet je mee, Merel?"

Merel schudde haar hoofd. "Ik moet zo naar huis…"

Julie keek sip, maar de gedachte aan pizza vrolijkte haar meteen weer op.

"Wat een dag," zei Jan toen ze eindelijk alleen waren. "Gelukkig is het allemaal goed afgelopen."

"Voor mij wel ja," zei Merel. "Maar wat gaat er nu met Amika gebeuren? We kunnen hem toch niet laten stikken? Zo'n lief paard…"

Jan zuchtte. "Ik kan hem niet helpen. Ik heb je toch al uitgelegd hoe het zit?"

Merel boog haar hoofd en ze begon zachtjes te huilen. Ze vond het zo erg voor Amika.

Jan keek haar ongemakkelijk aan. "Sorry, zo bedoelde ik het niet," zei hij. Hij stak aarzelend zijn armen uit en legde ze om haar schouders. Zachtjes trok hij Merel naar zich toe. Merel schoof wat vooruit zodat ze met haar hoofd tegen zijn schouder stond. Ze voelde de warme druk van zijn armen in haar nek en ze durfde zich bijna niet te verroeren. Ze wilde altijd wel zo blijven staan, hier in het hooi, alleen met Jan. Ze glimlachte ondanks haar tranen.

"Merel?..." zei Jan aarzelend. Zijn stem klonk warm en zacht en lief. Merel tilde haar gezicht naar hem op. Ze zag gele vlekjes als druppeltjes zon in de groene irissen van zijn ogen, en ze hapte even naar adem. Jan keek zonder te knipperen diep in haar ogen en hij boog zijn gezicht dichter naar het hare toe. Merel voelde zijn adem als een heerlijk zomerbriesje langs haar wang strelen. Nog heel even en zijn lippen zouden de hare raken.

"Tring Tring Tring!" Als door een wesp gestoken sprong Merel achteruit. De arm van Jan die daarnet nog zo teder om haar schouder had gelegen, gleed weg. Jan keek haar verward aan. De betovering was verbroken.

"Mijn telefoon," fluisterde ze hees. Papa. Ze nam snel op. "Ja, ik kom er zo aan," beloofde ze. "Echt, ik vertrek nu."

Jan keek teleurgesteld. "Sorry... ik moet weg..." slikte Merel.

"Tot morgen?" zei Jan.

Merel knikte. "Tot morgen." Ze aarzelde even, boog zich snel naar hem toe en gaf hem en vluchtig kusje op de wang. Even hoopte ze dat hij haar terug naar zich toe zou trekken, maar dat deed hij niet.

Hoewel er vlinders van verliefdheid in haar buik dansten, ging Merel toch met een bezorgd hart naar huis. Ze was blij dat ze haar baantje nog had, maar ze maakte zich zorgen over Amika. Amika kon niet op de manege blijven, had Jan gezegd. Hij was gevaarlijk en hij werd helemaal gek in die donkere stal. Meneer de la Fayette hield te veel van paarden om Amika lang in die stal te laten zitten. Er zou snel iets gaan gebeuren. In het beste geval zou Amika naar een andere manege gaan; in het slechtste geval stond Amika een veel erger lot te wachten. Merel mocht er niet aan denken dat ze Amika zouden laten inslapen...

Gelukkig was Jan er, bedacht Merel. Hij was zo lief! Als ze bij hem was, kreeg ze zo'n warm gevoel vanbinnen...

Merel zat te dromen bij het avondeten. Ze dacht aan Jan, hoe hij zijn arm om haar heen had geslagen en diep in haar ogen had gekeken, en ze glimlachte zonder dat ze het besefte.

Haar papa merkte het natuurlijk wel op. "Zit je weer met je gedachten op je werk?" knipoogde hij. "Daar moeten wel heel leuke dingen gebeuren."

Merel glimlachte breed, maar voor ze iets kon zeggen, rinkelde de telefoon.

Merel wilde opstaan om hem aan te nemen, maar haar papa duwde haar terug in haar stoel. "Ik neem hem wel," zei hij. "Blijf jij maar zitten." En hij liep naar de telefoon.

Een onrustig voorgevoel bekroop Merel en greep haar bij de keel. Ze keek angstig naar de rinkelende telefoon.

"Met Tijs de Ridder," zei haar papa vrolijk als altijd.

Merels papa glimlachte. "Inderdaad, Merel is mijn dochter."

Merels ogen werden groot van schrik. Wie was er aan de andere kant van de lijn? Er trok een rimpel over het voorhoofd van haar papa. "Meneer Lodewijks... U bent van het winkelcentrum?" vroeg hij.

Toen Merel de naam 'Lodewijks' hoorde, wist ze dat het spel uit was. Het was de vader van Jasmine. Nu zou haar papa de waarheid te weten komen... Een zucht ontsnapte aan haar lippen. Haar hart bonsde wild in haar borst en ze staarde bang naar het bloemetjesbehang.

"Nee nee," zei meneer Lodewijks, "ik heb het over de manege waar uw dochter werkt." Meneer Lodewijks wilde Merel bedanken omdat ze die dag Jasmine geholpen had.

Bij het woord 'manege' trok het gezicht van haar papa bleek weg en zonder nog iets te zeggen, legde hij de hoorn op de haak. Hij draaide zich om en keek Merel strak aan. Merel beet op haar lip van ellende. Nu zou het komen...

"Werk jij op een manege?" vroeg hij met een krop in de keel. Merel keek beschaamd naar de top van haar schoenen. Haar papa volgde haar blik. "Natuurlijk... Daarom had je mama's laarzen nodig!"

"Ik wilde het echt wel vertellen..." stamelde Merel, "maar toen was het mijn verjaardag en... je was bezig met je werk."

Haar papa verloor zijn zelfbeheersing. "Je hebt gelogen tegen mij!" riep hij. "Je mag alles doen wat je wil van mij, je mag overal naartoe gaan, je mag overal werken! Behalve op een manege! Weet je wel hoe gevaarlijk dat is?"
"Ik heb niet op een paard gereden, papa, ik werk alleen maar in de stallen!"
Maar haar papa wilde niets meer horen. "Naar je kamer," zei hij ijskoud.
Merel bonkte de trappen op en dook huilend onder de dekens. Het was voorbij. Ze zou nooit meer naar de manege terug mogen gaan. Ze zou Jan nooit meer terugzien... Merels hart brak van verdriet. Ze voelde zich zo ongelukkig!

Boos en verdrietig

De volgende ochtend bleef Merel gewoon in bed liggen. Haar hart deed pijn van verdriet. Nu ze toch niet naar de manege mocht, zag ze geen enkele reden om op te staan. Telkens als ze haar ogen sloot, zag ze het lieve gezicht van Jan weer, de gele spikkeltjes in zijn groene ogen, zijn stem die haar naam zei... Merel greep naar haar buik van verdriet. Dit deed zo vreselijk veel pijn...

Toen het al ver na tien uur was, lag Merel nog steeds in bed. Haar kussen was nat van de tranen en haar ogen waren rood gezwollen. Er werd zacht op haar deur geklopt, maar Merel antwoordde niet. Haar papa duwde zachtjes de deur open en kwam binnen met een dienblad met daarop haar ontbijt. Toen Merel hem zag, draaide ze haar gezicht naar de muur om hem niet te moeten aankijken.
Ze hoorde haar papa zuchten. "Sorry dat ik boos was," zei hij, "maar je weet wat ik van die paarden vind. Ik wil niet dat jou ook iets overkomt, dat snap je toch wel?"
Merel gaf geen antwoord. Ze was boos en verdrietig.
"Ik heb aan je baas gezegd dat je niet meer terugkomt," zei hij voor hij de kamer weer uitliep. Herbert de la Fayette had al gebeld om te vragen waar Merel bleef. De tranen schoten in weer in haar ogen. Ze had zich nog nooit zo vreselijk leeg gevoeld...

Merel bleef urenlang in haar kamer rondhangen, tot ze uiteindelijk zo'n honger kreeg dat ze naar beneden sloop. Het was zo stil in huis dat ze dacht dat ze alleen was. Ze schrok toen ze haar papa in de woonkamer aantrof. Hij zat in een zetel te lezen.
"Sorry..." zei Merel en ze wilde snel weer verdwijnen.
Maar haar papa hield haar tegen. Hij hield haar het boek voor waarin hij zat te lezen. Merel herkende het meteen. Het was het dagboek van haar mama. Haar papa moest het in haar

kamer gevonden hebben. "Heb jij dit gevonden?" vroeg hij.

Merel knikte. "Er zat een sleuteltje verborgen in het poppenhuis. Het paste op dat kistje in mama's kamer. Dus…" zei ze aarzelend, bang dat hij boos zou worden omdat ze aan mama's spullen had gezeten.

"Ik heb hier jaren naar gezocht," glimlachte haar papa. "Mag ik het nog even houden?"

Merel knikte. Ze raapte al haar moed bij elkaar en zei: "Papa, mag ik echt niet meer op de manege werken?"

Haar papa verloor op slag weer zijn geduld. "Waarom wil je nog altijd niet begrijpen dat ik je niet in de buurt van die rotbeesten wil!" zei hij.

"Maar papa, ik doe dat baantje graag," probeerde Merel. "En ik mag de paarden niet eens aanraken."

Haar papa staarde naar het dagboek in zijn handen. "Denk eens aan je mama? Als zij niet op een paard had gereden, dan kon ze je zelf vertellen hoe gevaarlijk paarden zijn."

Merels gsm rinkelde. 'Jan' verscheen er op de display. Een warm gevoel verspreidde zich door haar buik. Jan wilde weten waarom ze niet kwam. O wat wilde ze hem graag horen en hem alles uitleggen! Ze wierp een blik op haar papa.

"Iemand van de manege?" vroeg hij. Merel knikte. "Je neemt niet op!" zei hij boos.

"Maar ik wil hem…" Merel wilde Jan uitleggen waarom ze er niet was, dat ze hem niet in de steek wilde laten.

"Ik wil niet dat je opneemt!" onderbrak haar papa haar. Voor hem was het duidelijk: Merel was klaar met die hele manege. En met de mensen die er werkten.

De telefoon stopte met rinkelen. De tranen schoten in Merels ogen. "Ben je nu blij?" schreeuwde ze. Ze stormde de trappen op naar boven en gooide zich op bed. Met tranen in de ogen luisterde ze naar het berichtje dat Jan had ingesproken.

'Merel, ik heb gehoord dat je niet meer komt werken. Het spijt me als ik dingen heb gezegd over Amika die je niet leuk vond. Ik doe echt mijn best. Laat je iets weten? Ik hoop dat je terugkomt. Ik mis je…'

De enige die blij was dat Merel weg was, was Marie-Claire. Eindelijk zat het haar mee. En nu het geluk haar weer toelachte, werd het de hoogste tijd om iets aan haar imago te doen en ervoor te zorgen dat ze weer in de gunst kwam bij Casper.

Marie-Claire trok haar rijkleren aan, maakte zich op en liep kordaat naar de binnenpiste waar Casper paardrijles gaf. Met een verliefde blik in haar ogen keek ze toe hoe Casper een nieuw meisje instructies gaf. Casper leek wel erg veel uitleg te moeten geven aan het meisje dat ongeveer van haar leeftijd was. Was die meid bezig Casper te versieren?

"Wie is dat?" vroeg ze achteloos aan Chanel.

"Florence Van Parijs," zei Chanel, "de dochter van de notaris…"

"En zij zit achter Casper aan," grinnikte Marie-Claire. "Alsof Casper ooit voor haar zou vallen."

Chanel staarde naar de toppen van haar tenen. Ze had namelijk net gehoord dat Casper een afspraakje had gemaakt met Florence.

"… Ze hebben een date vanavond…" stamelde ze.

"Een date? Waar?" Marie-Claire begon te stampvoeten.

Chanel haalde haar schouders op. "Weet ik niet," zei ze.

Marie-Claire was in alle staten. Hier liet ze het niet bij. Hier zou ze een stokje voor steken! Casper was van haar! Die Florence moest van het toneel verdwijnen en snel! Ze moest een plan bedenken om de twee uit elkaar te krijgen…

Voor ze echter kon gaan piekeren over hoe ze haar nieuwe rivale weg kon krijgen, had haar papa ander nieuws. Hij had besloten om Amika te verkopen. Marie-Claire wreef in haar handen. Eindelijk zou ze verlost zijn van dat rotpaard en alle problemen die hij had meegebracht. Maar zover was het nog niet. De vader van Marie-Claire hield niet van opgeven en een onhandelbaar paard verkopen, was helemaal niet zijn ding. Hij zou Amika verkopen, maar hij wilde eerst weten wat er verkeerd was gegaan met Amika. Herbert de la Fayette was een echte paardenliefhebber, maar dit had hij nog nooit meegemaakt. Hij wilde weten hoe een kalm en rustig paard plots kon veranderen in een gevaarlijk beest. En omdat niemand hem antwoord kon geven, of wilde geven, zou hij raad vragen aan een paardenfluisteraar…

En net hier maakte Marie-Claire (net zoals haar moeder) zich zorgen om: ze wist heel goed dat een expert onmiddellijk zou zien dat Amika mishandeld was en hysterisch geworden was net omdat hij zo lang opgesloten had gezeten. Alles zou uitkomen en haar vader zou te weten komen dat zij, zijn oogappel, zijn prinses, haar eigen paard mishandeld had. Haar moeder wilde dat ze alles opbiechtte, maar dat weigerde Marie-Claire. Opbiechten dat het haar schuld was? Ze dacht er niet aan. Bovendien vond ze nog steeds dat vooral Amika zelf de oorzaak van alle problemen was. Het was een lui en stom paard, vond ze, ook al was niemand anders het daar mee eens.

Marie-Claire piekerde zich suf. Ze moest iets bedenken. En dat kon maar op één manier: Amika moest weg zijn voor die expert er was. Ze moesten Amika zo rap mogelijk verkopen... En de snelste manier om een koper te vinden, was via internet. Marie-Claire keek op haar horloge. Ze moest snel zijn. Straks kwamen Hedwig en Chanel logeren en ze wilde alles tegen dan geregeld hebben. Marie-Claire stortte zich op haar pc en ging op zoek naar mogelijke paardenkopers.

"Manege De Viersprong, blabla, onze expert komt bij u langs... Aargh," zei ze boos. Dit was het niet. Ze zocht verder. "Hm, wat is dit..." mompelde ze in zichzelf. "Ricardo De Bruyn. Koopt alle sportpaarden. Geen attesten vereist, geen keurbewijzen. Aha!" Marie-Claire zocht het telefoonnummer waarop ze de man kon bereiken. Dit was wat ze wilde: iemand die geen vragen zou stellen. Marie-Claire toetste het nummer in op haar telefoon. De man had een akelige stem, en hij deed erg onbeleefd, maar zodra hij hoorde dat het om Amika ging, werd hij heel vriendelijk. Hij ging zelfs akkoord met de prijs die ze voorstelde: 10.000 euro. Het was nog steeds een koopje voor een sportpaard. Ricardo De Bruyn zou de volgende dag al komen. Amika kon niet snel genoeg verdwenen zijn uit haar leven...

Begrip

Merel zat te mokken op haar kamer. Ze was kwaad op zichzelf, maar ook kwaad op haar papa. Het was waar: ze had niet mogen liegen. Maar had ze een andere keuze gehad? Haar papa wilde niet dat ze bij paarden in de buurt kwam. En wie hield er rekening met wat zij wilde? Hij in elk geval niet.

Beneden rinkelde de bel. Haar papa was even weg om boodschappen. Merel wilde niemand zien dus stopte ze haar hoofd onder haar kussen. Maar het schelle gerinkel bleef duren. Nijdig sprong Merel uit bed. "Ja ja! Ik kom al!" riep ze geërgerd. Misschien had papa zijn sleutel vergeten.

Ze schrok toen ze de deur openmaakte: Julie stond voor de deur.

"Verrassing!" riep Julie en ze glipte langs Merel heen binnen.

"Julie, wat kom jij hier doen?" vroeg Merel.

"Ik kom vragen of je alsjeblieft terugkomt," zei Julie. "Je kan toch niet zomaar wegblijven?!"

Merel zuchtte. "Heel graag, maar je begrijpt het niet. Als mijn vader je ziet, wordt hij gek…"

Voor Julie verder kon vragen, hoorden ze de voordeur dichtslaan. Haar papa was thuis.

"Sst! Hij mag je niet zien!" siste Merel en ze zocht een plekje waar ze Julie kon verstoppen. Toen de deur openging, dook Julie weg onder de tafel.

"Hallo papa, wat eten we?" vroeg Merel vrolijk.

Haar papa keek haar verrast aan. Een kwartiertje geleden wilde Merel zelfs niet met hem praten en nu klonk ze alsof er geen vuiltje aan de lucht was! "Eh… frietjes?"

"Mmm!" Merel wreef over haar buik. "Ik heb honger!"

Haar papa snapte er niets van, maar omdat hij opgelucht was omdat Merels boze bui verdwenen was, ging hij meteen frietjes bakken. Zodra hij de kamer uit was, probeerde Merel Julie buiten te krijgen. Maar Julie was vreselijk koppig. Zonder Merel ging ze niet terug naar de manege. Ze liet zich niet wegjagen. Ze bleef onder de tafel zitten.

Ze gingen aan tafel en Merels papa had eerst niets in de gaten, tot Julie onder de tafel een hoestbui kreeg... Verbaasd sloeg hij het tafelkleed weg.

"En wie ben jij?" vroeg hij toen hij onder tafel een ineengedoken meisje vond.

Julie keek hem stout aan. "Julie! En het is niet eerlijk dat Merel niet meer op de manege mag komen werken!"

Merel kon wel door de grond zakken. Nu wist haar papa meteen dat Julie van de manege kwam.

"O is dat zo!" zei hij uit het veld geslagen.

"Ja! Ze vindt het daar superleuk. Of wilt u dat ze niet gelukkig is?" Merels papa wierp een scherpe blik naar Merel, maar voor hij kon antwoorden, rinkelde de bel weer. Hij draaide zich om en liep naar de gang.

Deze keer stond Jan op de stoep. "Sorry meneer, maar is mijn zusje hier soms?" vroeg hij.

"Als je zusje Julie heet, dan zit ze onder mijn keukentafel!"

Merel werd vuurrood toen Jan de keuken binnenkwam. Haar hart klopte wild en ze wist zichzelf geen houding te geven. Het was de eerste keer dat ze hem zag sinds ze bijna gezoend hadden. Nerveus streek ze een haarlok uit haar gezicht. Ze wilde iets zeggen, maar ze durfde niet omdat haar papa zo kwaad keek. Gelukkig merkte Jan het niet.

"Merel..." vroeg Jan, "waarom heb je ontslag genomen?"

Merel begon te stotteren. "Wel... ikke... eh..." stamelde ze.

"Die manege is niets voor haar!" kwam haar papa tussenbeide.

"Ja, het is beter dat ik stop," zei Merel snel.

"Echt? Je bent de beste stalhulp die ik ooit heb gehad. Je werkt hard, je bent lief tegen iedereen en ik dacht dat je zo van paarden hield!" zei Jan.

Haar papa vond het nu wel welletjes. "Ja, blijkbaar niet dus hé, je hoort dat ze ermee wil stoppen!"

"Dat zegt ze alleen omdat ze moet van u!" riep Julie stout.

Jan keek zijn zusje streng aan. Soms ging ze echt wel te ver. En dat vond Merels papa ook. "Ik denk dat jullie nu beter kunnen gaan," zei hij koud. Hij opende de deur zodat ze zouden opstappen.

Jan haalde bij het buitengaan een visitekaartje van de manege uit zijn zak en wilde het aan Merels papa geven. Die nam het aan, maar scheurde het zonder één woord te zeggen voor hun ogen in stukjes en liet de stukjes op de grond dwarrelen.

"Ik ga slapen," zei Merel zodra ze buiten waren. Ze was zo kwaad en verdrietig tegelijk dat ze haast niet meer kon praten. Haar benen leken loodzwaar toen ze de trap op liep en de tranen brandden achter haar ogen.

Haar papa keek haar verdrietig na. Het was pas zeven uur...

Merel bleef even op haar bed liggen, maar na een tijdje sloop ze naar de deur en luisterde in de gang. Ze hoorde beneden het geluid van de tv. Stilletjes sloop ze de gang op en liep naar haar mama's kamertje. Ze deed de deur geruisloos achter zich dicht en knipte het licht aan. Boven op de kast lag een boek wist ze, een boek dat haar papa daar weggestopt had omdat hij het niet wilde zien. Merel pakte een stoel en haalde het boek van de kast. Het was erg stoffig en ze moest bijna niezen toen ze het opensloeg. Binnenin zaten krantenknipsels van na het ongeval van haar moeder.

'Kampioene komt om het leven na val met paard...' kopte een krant tien jaar geleden. 'Sofie De Ridder bij tragisch ongeval overleden...'

Merel zuchtte. Ze was kwaad op haar papa, maar diep in haar hart snapte ze wel waarom hij haar niet in de buurt van paarden wilde hebben. Ze miste haar mama zo ontzettend hard dat het nog elke dag pijn deed. En ze wist hoeveel haar papa van haar mama had gehouden. Hij moest haar ook vreselijk missen, misschien wel meer dan zij. Ze had spijt dat ze zo boos was geweest. Ze sloeg het plakboek dicht en ging naar beneden.

Merel schrok toen ze in de woonkamer binnenkwam. Haar papa zat huilend voor het scherm.

"Papa, gaat het?" vroeg ze angstig. Hij schudde zijn hoofd. De tranen liepen over zijn gezicht. Merel ging naast hem zitten en sloeg haar armen om hem heen. Ze staarde naar haar mama die hen van op het tv-scherm lachend aankeek. Ze zat op de rug van haar lievelingspaard. Het paard waarmee ze die laatste dag gevallen was. Haar papa had oude video's die hij al tien jaar niet meer had willen bekijken, bovengehaald.

"Mama was zo goed!" zei Merel.

"Ze was de allerbeste," glimlachte haar papa door zijn tranen heen.

"En hoe mooi ze zit!"

"Mama had veel talent. Ik zie veel van haar in jou..." Hij wreef Merel speels door haar haren.

Merel bloosde en stond op om de video uit te zetten.

"Zin in chocolademelk?" vroeg haar papa. Merel knikte blij.

Even later zaten ze met z'n tweetjes aan de keukentafel met een beker warme chocolademelk. "Vind je dat baantje op de manege echt zo leuk?" vroeg haar papa na een tijdje.

Merel knikte.

"Manege De Paardenhoeve van de familie de la Fayette," glimlachte hij. "Ik kwam er vroeger vaak met mama. Maar dat is toch niets voor jou, zo stijf en zo chique. Tenminste, zo was het vroeger toch."

"Zo is het nog steeds," zei Merel. "Ze hebben er alleen een vervelende dochter bij gekregen. Maar de paarden zijn leuk, en toffe collega's..." Merel begon te blozen toen ze aan Jan dacht. Haar papa had het gezien.

"Julie en... Jan?" grijnsde hij. "Jij bent verliefd!"

"Papa!" zei Merel met een rode kop.

"Sorry, sorry," zei hij lachend. "Je moet je ouwe pa niet zo onderschatten, ik zie wel wat die jongen voor jou betekent."

"Ik ga slapen, oké?" Merel gaf hem een zoen en wilde naar boven vertrekken, maar haar papa hield haar tegen.

"Je hebt meer met je moeder gemeen dan je denkt, meer dan ik zou willen," zei hij bedachtzaam. "Je bent net als mama gek van paarden en dit gaat zwaar tegen mijn gevoel in, maar als je wil, mag je weer op de manege gaan werken."

Merel kon haar oren niet geloven. "Mag het echt?" vroeg ze. Ze vloog om zijn hals.

"Er is wel één voorwaarde," zei hij. "Je moet hier en nu beloven dat je nooit op een paard zal rijden."

Merel was dolgelukkig. "Ik beloof het..." zei ze. Deze keer danste ze de trap op naar haar kamertje en voor ze in bed kroop, liet ze een berichtje achter op Jans gsm. "Ik kom morgen terug!"

Bijna meteen kreeg ze een lief berichtje terug. "Hoera! Ik kan haast niet wachten." Met een kruisje erachter...

Een koper voor Amika

Marie-Claire trippelde blij de trap af naar beneden. Zo dadelijk kwamen Hedwig en Chanel logeren. Ze zouden samen plannen maken over hoe ze Casper terug voor zich zou winnen; ze zouden modebladen door spitten op zoek naar de laatste modedingetjes; ze zouden make-up en crèmes uitproberen die Hedwig uit Milaan had meegebracht. En het probleem met Amika was bijna van de baan. Nog een keer slapen en de koper die ze op internet had gevonden, zou langskomen. Maar eerst kwam het moeilijkste gedeelte: het nieuws aan haar vader vertellen. Marie-Claire haalde diep adem en liep de woonkamer binnen.

"Mammie, pappie," zei ze. "Ik moet iets vertellen."

Haar moeder keek haar verrast aan. Ging Marie-Claire eindelijk alles opbiechten aan haar papa?

"Ik heb groot nieuws!" zei ze met een enorme glimlach op haar gezicht. "Omdat ik wil dat Amika goed terechtkomt, heb ik zelf een koper gezocht... en gevonden." Ze keek haar ouders triomfantelijk aan.

Haar papa keek stomverbaasd. "Eh... ja?... Enne... wie is die man?"

"Het is een heel lieve en betrouwbare man," loog Marie-Claire met haar allerliefste stemmetje. "Hij koopt zieke paarden op en hij maakt ze weer beter in Spanje!" Dit mocht absoluut niet verkeerd gaan: alles hing ervan af of haar vader haar geloofde of niet.

Haar vader fronste zijn wenkbrauwen. "En hoe komt het dat ik daar niets van weet?"

"Omdat ik het zelf nog maar net weet!" glimlachte Marie-Claire stralend. "Goed toch van mij?"

"Oké..." Haar vader aarzelde. "Enne... wanneer komt die man?"

"Morgen rond 1u30!"

"1u30?... Eh, dan ben ik er wel, ja..." zei hij.

"Dat is dan geregeld!" zei Marie-Claire en ze gaf hem een snelle zoen.

Maar haar moeder was niet zo goedgelovig als haar vader. Ze wist dat Marie-Claire iets in haar schild voerde. Zodra ze kon, nam ze Marie-Claire apart. "Waar ben jij mee bezig?" vroeg ze haar dochter. "Wie is die man?"

"Ricardo De Bruyn is een heel lieve man," zei Marie-Claire uit de hoogte, ook al had ze de man alleen nog maar aan de telefoon gehoord en klonk hij zo gewiekst als maar kan.

"En waar heb je die betrouwbare man vandaan?"

"Dat maakt toch niet uit?" zei Marie-Claire. "Het probleem van de expert is van de baan. Die man wil Amika kopen zonder de officiële papieren."

Haar moeder schudde haar hoofd. "Zonder papieren... Dat gelooft je vader toch nooit."

"Toch wel," zei Marie-Claire koppig.

"Je maakt het voor jezelf alleen maar erger, meisje! Wat als die koper louche blijkt te zijn? En daar ziet het wel naar uit. Je vader prikt er zo doorheen! Wie koopt er anders een paard zonder papieren? En wat denk je dat er gebeurt als je vader ontdekt dat je gelogen hebt over alles?"

Marie-Claire keek haar moeder vernietigend aan. "Vertel hem dan alles, hé," zei ze gemeen. "Jij bent gewoon bang van wat er zal gebeuren als papa te weten komt dat jìj gelogen hebt!"

Daar had haar moeder niet van terug. Marie-Claire had haar slag thuisgehaald. Ze had haar moeder volledig in haar macht. Net zoals haar vader die nog altijd geloofde dat ze zo treurde om Amika. Hij moest eens weten, dacht ze met een grimmig gezicht...

De hele avond lang dacht ze niet meer aan Amika. De enige die in haar gedachten was, was Casper. Marie-Claire had gehoopt dat Chanel of tenminste Hedwig op de proppen zou komen met een goed plan om het nieuwe vriendinnetje van Casper weg te jagen, maar zoals altijd moest ze het natuurlijk weer zelf doen. Niemand had zo'n goeie ideeën als zij, besefte ze. Ze had ook niets aan die vriendinnen van haar, die mochten tevreden zijn dat zij hun vriendin wìlde zijn. Gelukkig maakte Hedwig het een beetje goed door de lading crèmes en gezichtsmaskers die ze uit Milaan had meegebracht. Marie-Claire probeerde een roze crème uit die beloofde dat ze er de volgende dag stralend jong zou uitzien (nog stralender dan ze als was, dacht Marie-Claire). Hedwig en Chanel probeerden iets anders uit, iets met limoenextract en modder tegen lachrimpeltjes, wat zeker nodig was bij Chanel want die lachte zelfs om Gringo. Met een tevreden gevoel deed ze haar oogmaskertje voor en ging slapen. Morgen kwam een nieuwe dag. Amika zou verkocht zijn en Casper zou terug van haar zijn.

Lang duurde de nachtrust echter niet. Marie-Claire lag nog maar net diep in slaap, toen ze wakker schrok van een enorm kabaal beneden. Ze sprong uit bed en holde met Hedwig naar beneden. Waar Chanel was, wist ze niet, maar dat kwam ze gauw te weten.

Beneden in de woonkamer zat Chanel op de grond te huilen naast de scherven van de duurste vaas die ze in huis hadden. Haar moeder lag met een appelflauwte in de zetel en haar papa probeerde iedereen te bedaren. Blijkbaar had Chanel de vaas per ongeluk van de kast gestoten. Haar moeder was woest natuurlijk.

"Domkop!" siste Marie-Claire kwaad tegen Chanel. Nu zou het vast weer een eeuwigheid duren voor ze van haar ouders iemand mocht uitnodigen om te logeren.

"Vind ze het echt heel erg van die vaas?" vroeg Chanel.

Marie-Claire kon er niet meer tegen. Hoe dom kon je zijn? "Ja duh!" zei ze. "Wat denk je nu zelf?" Haar moeder was inderdaad boos. Zo boos dat ze vond dat Chanel de dure vaas helemaal moest terugbetalen.

Niemand wist dat Chanel de vaas niet zelf gebroken had. Ze had de schuld op zich genomen zodat niemand zou weten dat Gringo de dader was. Gringo mocht namelijk niet in huis zijn en Chanel wilde hem niet verraden…

Verrassing!

Zodra Merel de volgende ochtend haar ogen opensloeg, voelde ze zich beter dan in dagen. Vandaag ging ze terug naar de manege! Ze wipte vrolijk uit bed en liep neuriënd de trap af. Toen ze in de keuken kwam, keek ze verbaasd naar de ontbijttafel. Die was gedekt met drie borden en drie bekers. Er stond een mandje met broodjes en croissants en er was thee, chocolademelk en koffie.

"Waarom staan er drie borden?" vroeg ze verbaasd.

Haar papa lachte geheimzinnig, maar wilde niets verklappen. Merel kwam al snel te weten wat hij bekokstoofd had. Een halve minuut later ging de bel en liep Jan hun keuken binnen. Haar papa had hem de vorige avond nog opgebeld en uitgenodigd om te komen ontbijten. Hij was een beetje nieuwsgierig geworden naar die jongen waar Merel verliefd op was. Merel werd rood tot achter haar oren toen ze Jan zag. Hij had een jeans aan en een leuke trui en daar stond zij: op haar voeten in een oude pyjama en met ongekamde haren. Merel werd rood tot achter oren.

Haar papa wilde het ijs breken. Hij hield Jan het visitekaartje voor waarvan hij de stukjes met lijm aan elkaar had geplakt. "Ik heb je kaartje geplakt met zelfgemaakte lijm, je kan het bijna niet zien!" zei hij trots.

"Papa is uitvinder," legde Merel uit.

"Precies!" zei Jan die nu begreep waar de zelfgemaakte lijm vandaan kwam.

"Eh... ik ga nog even werken. Eten jullie maar al." Merels vader maakte zich uit de voeten.

Jan keek nieuwsgierig rond in de kleine, gezellige keuken. Op tafel stond van alles klaar voor het ontbijt. Hij trok een stoel achteruit om te gaan zitten. Het fotoalbum waarin Merel en haar papa de vorige avond hadden gebladerd, lag er nog op.

"Zijn dit oude foto's van jou?" vroeg hij. Jan wilde het oppakken, maar Merel griste het uit zijn handen. "Mag ik ze niet zien?"

"Wel, eh… vroeger had ik een beugeltje en van die rare vlechtjes en zo… dus…" Merel lachte schaapachtig.

"Toe, alsjeblieft?" probeerde Jan. Hij was nu supernieuwsgierig.

Merel open het album supersnel en liet de foto's in een waterval zien. "Zo goed?" vroeg ze. Natuurlijk zag Jan niets. Eén van de foto's zat echter los in het album en dwarrelde op de grond. Jan bukte zich vliegensvlug om hem op te rapen. Het was een foto van Merel toen ze zes was. Ze zat op het paard van haar moeder. "Ben jij dat?" vroeg Jan. "Je rijdt paard! Dat wist ik niet, waarom heb je dat niet gezegd?"

"Ik rijd geen paard!" Merel trok de foto uit zijn handen en stopte hem terug in het fotoalbum.

"Waarom lieg je daarover?" vroeg Jan. Hij begreep er niets van. Waarom wilde Merel niet dat hij dat wist en waarom verstopte ze zo haastig die oude foto's?

"Ik wil er niet over praten, oké?" zei ze. Omdat haar papa de keuken terug binnenkwam, begon ze haastig over iets anders.

Na het ontbijt en een uitgebreide rondleiding door alle uitvindingen van Merels papa, fietsten ze met z'n twee naar de manege. Jan wilde nog steeds meer weten over de foto van Merel op het paard, maar Merel wilde er niet over praten. Ze fietste zo snel dat Jan stevig moest doortrappen om haar bij te houden. Bij de manege liep hij achter haar aan en hield haar tegen aan haar arm.

"Wat is er?" vroeg hij. "Ben nu nog altijd zo kwaad over die foto?"

Merel hield haar lippen op elkaar en keek kwaad weg.

"Of gaat het over paarden?…" vroeg Jan.

"Ik wil er niet over praten, oké?" zei Merel kwaad. Ze trok zich los en liep weg. Jan keek haar geschrokken na. Wat was er toch?

Zodra ze een moment vrij had, ging ze naar de stal van Amika. Ze wilde zeker zijn dat alles goed met hem ging. Gelukkig was hij vandaag heel wat rustiger. Merel maakte het bovenluik van de staldeur open en aaide lief over Amika's neus. Hij liet haar begaan en knabbelde de wortel op die Merel had meegebracht. Ze merkte niet dat Jan eraan kwam. Hij bleef staan toen hij Merel opmerkte bij de stal en keek verbaasd toe hoe Merel

Amika streelde en tegen hem praatte zonder dat het paard gek ging doen.

"Wat heb jij met Amika gedaan?" vroeg hij nogal luid.

Merel schrok toen Jan plots achter haar rug opdook en ze sloeg het luik dicht. "Sorry sorry sorry," ratelde ze. "Ik weet dat het niet mag... Echt, ik zal nooit meer naar Amika toegaan."

Jan schudde zijn hoofd. "Merel," zei hij ongelovig, "wat jij met Amika doet, is echt fantastisch! Hij was zo rustig! Normaal is hij onhandelbaar en agressief."

Merel was opgelucht omdat ze geen standje kreeg. "Amika is een lief paard als je er zelf lief tegen bent," zei ze. "Maar ze sluiten hem op en daardoor wordt hij onhandelbaar!"

"Heb je al eens geprobeerd om hem uit zijn stal te halen?" vroeg Jan. Misschien moeten we dat eens proberen. Jij kan hem zeker aan de lijn houden."

"Dat mag toch niet?"

"We doen het 's avonds," zei Jan.

Het was zo verleidelijk... Maar Merel herinnerde zich haar belofte aan haar papa. Ze had beloofd dat ze nooit in de buurt van een paard te komen. "Sorry," stamelde ze, "maar ik kan het echt niet." En ze liep haastig weg.

Het reddingsplan

Het ontbijt bij de familie de la Fayette verliep, ondanks de gebroken vaas, in een opperbeste sfeer want er was fantastisch nieuws: manege De Paardenhoeve, hun manege, was uitgekozen om de vierjaarlijkse Lente jumping voor de elite te organiseren. Het was een ongelooflijke eer voor de manege. De hele paardenwereld zou erop afkomen, misschien zelfs de Koninklijke familie! En de beste meisjes van de manege mochten deelnemen. Marie-Claire zag het meteen voor zich: zij zou natuurlijk winnen! Maar eerst moest ze Casper terug voor zich zien te winnen en Hedwig en Chanel moesten haar daarbij helpen.

"Meisjes, zijn jullie klaar voor actie?" vroeg ze stralend. Hedwig stond met tegenzin op van tafel, maar Chanel bleef zitten en haar gezicht stond heel sip.

"Chanel heeft andere dingen te doen," zei haar moeder. "Ze gaat in de stallen werken tot ze mijn dure vaas heeft terugverdiend."

"Wat?" schrok Marie-Claire. Haar vriendinnetje werd stalhulp? Jakkes…

Toen Jan het nieuws van de Lente jumping te horen kreeg, kreeg hij langzaam een idee over hoe hij Amika kon helpen. Er was maar één manier om Amika op de manege te houden: ze moesten Amika laten rijden! Ze moesten tonen dat Amika nog niet afgeschreven was. Maar daar had hij Merel voor nodig… Jan trok zijn stoute schoenen aan en stapte op haar af.

"Merel: ik heb nog eens nagedacht. Ik weet hoe we Amika kunnen redden. De Paardenhoeve mag dit jaar de vierjaarlijkse Lente jumping organiseren," vertelde hij. "We moeten Herbert die dag tonen dat Amika wel nog wedstrijden kan rijden. Dan verkoopt Herbert hem nooit."

Merel vond het een fantastisch idee. Er was maar één probleem. Er was niemand die op Amika durfde te rijden…

"Precies," zei Jan, "en daarom moet jij het doen. Jij moet meedoen aan die wedstrijd!"

Merel schrok. Amika strelen was één ding, op Amika rijden was heel iets anders. "Ik? Op Amika rijden? Nee, echt niet..." zei ze.

"Jij bent de enige die Amika nog rustig kan krijgen," drong Jan aan. "Jij hebt talent. Ik heb je met Amika gezien, hoe goed jij hem aanvoelt."

Merel wilde zo graag ja zeggen, ze wilde niets liever. Maar ze wist wat ze haar papa beloofd had. "Sorry... ik kan Amika niet helpen. Hoe graag ik het ook wil."

"Maar waarom dan niet?"

Merel kon wel huilen. Ze moest Jan uitleggen waarom, dat was ze hem verschuldigd. Maar dit was best moeilijk voor haar. "Toen ik zes was, is mijn mama gestorven," zei ze stilletjes. "Ze was een amazone. Ze is met een paard gevallen tijdens een wedstrijd. Daarom heeft papa een hekel aan paarden. Ik heb moeten beloven dat ik nooit op een paard zou rijden. Ik kan die belofte niet verbreken..." Toen ze klaar was met praten, drupten de tranen over haar gezicht.

Jan zweeg en trok haar tegen zich aan. Alle stukjes van de puzzel pasten plots in elkaar. Nu begreep hij alles. Waarom Merel zo overstuur was als hij over haar moeder begon en waarom haar papa niet wilde dat ze op de manege werkte. Wat kon hij hier tegenin brengen? Troostend streelde hij over haar hoofd. Merel drukte haar gezicht in zijn jasje dat lekker rook naar Jan en stro en paarden. Ze slikte haar tranen in en keek hem dankbaar aan. Ze was blij dat hij het eindelijk wist...

Nadat ze klaar was met het voederen van de paarden, ging Merel naar de hooischuur. Er was een lading nieuw stro geleverd en de strobalen moesten binnen in de schuur opgestapeld worden. Tot haar verbazing was er al iemand anders bezig met het karwei: Chanel.

Chanel probeerde stuntelig een strobaal in haar armen op te tillen en naar binnen te dragen, maar dat lukte niet, de strobaal was te groot. "Merel! Je moet niet denken dat ik hier werk hoor, ik moet een beetje training opdoen!" zei ze zenuwachtig.

"Oké," zei Merel terwijl ze met een riek een strobaal van de stapel tilde. Het kon haar niet zoveel schelen wat Chanel deed.

"Eh... Heb je nog zo'n eh... ding?" vroeg Chanel en ze wees naar de riek die Merel gebruikte.

"Ja hoor, hier om de hoek," zei ze vriendelijk.

Chanel, die weliswaar een overall droeg, maar daaronder nog steeds haar gewone schoenen aanhad, wilde op hoge hakken de hoek om stappen om de riek te halen, maar ze struikelde. Merel sloeg haar hand voor haar mond om het niet uit te proesten. Het was dan ook een erg grappig gezicht: de vieze overall en de hoge hakken eronder. "Hier staat nog een paar extra laarzen," zei ze behulpzaam.

Chanel was haar ontzettend dankbaar. "Waarom doe je dit eigenlijk voor mij?" vroeg ze nadat Merel haar een paar gebloemde roze laarzen had gegeven.

"Gewoon... Zonder reden, waarom?"

"Marie-Claire zegt dat je gemeen bent en vals..."

Merel wilde zeggen dat het volgens haar net andersom was, maar ze zweeg onthutst.

"Maar ik heb nog niets gemerkt hoor," zei Chanel snel.

Merel vond Chanel best lief, een beetje raar, maar lief. En hoe langer ze praatten, hoe beter ze het met elkaar konden vinden. Merel vertelde Chanel hoe leuk ze het hier op de manege wel vond.

"Zou je zelf niet willen paardrijden?" vroeg Chanel nieuwsgierig. Merel knikte. "Maar dat mag niet van mijn vader. Mijn moeder is gestorven door een val van haar paard en ik heb hem beloofd om nooit te rijden..." Nu ze het een keer gezegd had, viel het haar makkelijker om het opnieuw te vertellen...

Ricardo De Bruyn

Om één uur die middag werd er aangebeld bij de la Fayettes. Marie-Claire keek op haar horloge. Als dat Ricardo De Bruyn was, was hij vroeger dan verwacht. Ze haastte zich naar beneden waar haar vader net de deur openmaakte.

Voor de deur stond een wat vreemde man. Hij droeg een slonzig, vies pak en enkele vettige haarslierten lagen plakkerig over zijn bijna kale kop gedrapeerd. Hij wiste met een vuile zakdoek het zweet van zijn gezicht en poetste vervolgens de glazen van zijn brilletje voor hij iemand de hand schudde.

"Hallo, Ricardo De Bruyn. Ik kom voor Amika," zei hij met een krassend stemmetje.

"Welkom op De Paardenhoeve..." Haar vader deed een stap achteruit en liet de bezwete man binnen. "Ik heb gehoord dat u een revalidatiecentrum voor paarden hebt in Spanje?"

De man keek Herbert verbaasd aan en wilde hem bijna zeggen dat hij helemaal geen revalidatiecentrum voor paarden had, maar Marie-Claire kwam haastig tussenbeide. "Dat klopt ja," zei ze voor Ricardo De Bruyn de waarheid kon zeggen. "Meneer De Bruyn, wenst u soms een kopje koffie?"

"Ja, prima," zei de kerel.

"Papa, ik ken de koffiemachine niet zo goed, wil jij koffie zetten?" smeekte Marie-Claire. "Eh, ja, oké," stamelde haar vader voor hij in de keuken verdween. Marie-Claire sleurde de man mee naar de woonkamer. "Ik heb mijn vader wijsgemaakt dat u een weldoener bent in Spanje," siste ze toen de deur dicht was.

"Wat? Dat gelooft hij toch nooit!"

"Toch wel, kijk, ik heb foto's gezocht en referentiemateriaal." Ze duwde hem een stapeltje papieren in handen.

"Poppetje, ik ga hier geen toneel spelen voor jou, hoor."

Marie-Claire keek hem boos aan. "Oké. Dan gaat de deal niet door. Ik ken mijn vader en als je Amika echt wil, dan moet je meespelen."

Ricardo De Bruyn likte met een spits tongetje over zijn bezwete bovenlip en dacht even na. Haar vader kwam binnen met de koffie. "Dus u helpt zieke paarden?"

"Tja helpen euh…" stotterde de man.

Marie-Claire knikte tevreden. "Hij maakt ze beter," hielp ze. "Hij is een paardenfluisteraar."

"O, dan kunt u misschien achterhalen wat er mis is met Amika."

Toen hij de naam 'Amika' hoorde, knikte Ricardo welwillend. Hij wilde niets liever.

Zodra hun koffie op was, gingen ze naar de stal van Amika. Marie-Claire deed een schietgebedje dat alles goed zou gaan. Ze liepen langs de manege om Jan te halen en gingen dan naar de stal van Amika. Jan gooide gemene blikken in haar richting toen hij hoorde dat zij een koper voor Amika gevonden had. Waar bemoeide hij zich eigenlijk mee, dacht ze kwaad. Amika was tenslotte haar paard en zij deed met hem wat ze wilde.

Zodra ze echter in de buurt van de stal kwamen, begon Amika zenuwachtig te hinniken. Jan maakte de bovenste helft van de staldeur open en Amika deinsde geschrokken achteruit van het felle licht dat plots binnen viel. Ricardo stak voorzichtig zijn hoofd een beetje in de richting van de stal, klaar om weg te rennen moest er iets gebeuren. Maar gelukkig gebeurde er niets. Haar vader wierp een vreemde blik naar Ricardo omdat hij zo bang leek.

"Paardenfluisteraar, weet je nog?" siste Marie-Claire en ze gaf hem een duwtje in de rug.

"Juist ja…" kuchte de man. Hij ging dichter bij de stal staan en keek naar binnen. "Dat ziet er prima uit," zei hij snel.

"Waar heb je hem vandaan?" siste Jan kwaad tegen haar.

"Dat zijn jouw zaken niet!" siste ze nijdig terug.

Gelukkig had haar vader niets in de gaten. Alleen zij en Jan merkten de hebberige blik op in de ogen van Ricardo. Ricardo wilde de staldeur snel dichtdoen om meteen de koop af te sluiten, maar haar vader bleef hem afwachtend aankijken.

"En? Kunt u mij iets meer zeggen?" vroeg hij aan Ricardo.

Er verscheen een zenuwachtige glimlach op het gezicht van Ricardo De Bruyn. Marie-Claire vreesde even dat hij het zou verknoeien, maar gelukkig herpakte hij zich.

"O, ja..." Ricardo stak aarzelend zijn arm naar binnen en pakte Amika bij het leidsel. Het paard wilde zijn kop wegtrekken, maar Ricardo haalde een suikertje uit zijn zak en duwde het in Amika's bek. Ricardo grijnsde opgelucht.

"Hm... eh... volgens mij is het iets psychisch," zei hij. "Ik vermoed dat het aangeboren is. Heeft u de stamboom van Amika?"

Haar papa somde een reeks namen op. "Xeros, Xantippe en Pyrus."

"Ha! Pyrus had dat ook," loog Ricardo De Bruyn. "Tja, meneer de la Fayette, dit ziet er slecht uit. Als het paard hier blijft, haalt hij het einde van de maand niet. Wat denkt u, zullen we de deal rondmaken?"

Marie-Claire beet haar nagels bijna kapot van spanning omdat haar vader nog leek te twijfelen, maar uiteindelijk stak hij zijn hand uit naar Ricardo: hij ging akkoord. Marie-Claire slaakte een zucht van opluchting. Dit probleem was van de baan. Maar Jan schrok zichtbaar. Julie die het groepje gevolgd was en alles had gehoord, draaide zich vliegensvlug om en liep in de richting van de manege...

Amika verkocht!

"Merel! Merel!" gilde Julie al van ver. "Ze gaan Amika verkopen!"

Merel liet haar hooivork vallen en stormde naar buiten.

"Er is een koper bij de stal van Amika!" hijgde Julie.

Merel dacht geen seconde na en haastte zich met Julie naar de stal van Amika. Ze kwamen net te laat: meneer de la Fayette, Jan, Marie-Claire en een akelig klein mannetje liepen weg van de stal. "Dat is die Ricardo," fluisterde Julie. Op dat moment draaide Ricardo zich om en keek met zijn kleine, priemende oogjes recht in het gezicht van Merel. Merel had nog nooit zo'n kille ogen gezien.

Zodra ze in de bocht van het pad verdwenen waren, liep Merel ongerust naar de stal toe. Het was vreemd stil binnen. Normaal maakte Amika kabaal als hij iemand in de buurt van de stal opmerkte, maar nu was het doodstil.

"Amika?" Merel zei het heel luid, maar er kwam geen reactie. Ze drukte haar oor tegen het hout, maar ze hoorde niets. Zonder nadenken trok ze de sloten van het luik weg.

Julie deinsde geschrokken achteruit, klaar om weg te rennen moest Amika naar buiten stormen. Maar ze hoefden niet bang te zijn: Amika stond doodstil in de stal. Hij reageerde helemaal niet, zelfs niet toen Merel hem riep. Het paard liet zijn kop treurig naar beneden hangen en alle glans was uit zijn ogen verdwenen.

"Er is iets mis..." stotterde Merel. "Er is iets helemaal mis met Amika! Volgens mij is hij doodziek." Ze deed de deur open en stapte de stal binnen. Ze streelde Amika over zijn neus, maar Amika reageerde niet. Hij leek haar niet op te merken en bleef als verdoofd staat... "We moeten Jan halen," zei Merel. Ze deed de staldeur haastig op slot en rende met Julie terug naar de manege.

In het kantoor van meneer de la Fayette werd de champagne

ontkurkt en iedereen kreeg een glas. Marie-Claire slurpte gelukzalig van haar drankje. Over enkele dagen was Amika verdwenen. Zodra de verkoopsdocumenten in orde waren, zou Ricardo het paard komen ophalen. En dan was er nog de Lente Jumping die zij ging winnen. Als ze haar ogen sloot, kon ze het al horen: 'En de winnaar is... Marie-Claire de la Fayette!' Ze glimlachte tevreden. Casper zou haar niet kunnen weerstaan! Casper... Zonder Casper was haar geluk niet compleet. Door Amika was ze bijna vergeten dat ze nog iets moest ondernemen om dat kreng van een Florence weg te krijgen. Maar ze had hulp nodig en aan Hedwig had ze niet veel, die deed altijd haar eigen zin alsof ze even belangrijk was als zij. Nee, Chanel moest haar helpen. Maar Chanel liep nog steeds rond in de stallen. Wat een schande, een Z-Girl als stalhulp. Dit kon niet langer.

"Mama, heeft Chanel nog niet hard genoeg gewerkt?" zeurde ze. Ze had geen beter moment kunnen kiezen. Haar moeder had een glas champagne op en was net als zij enorm opgelucht dat Amika verkocht was en binnenkort van de manege verdwenen zou zijn. Alles zou weer worden als vroeger en haar man zou nooit te weten komen dat zij tegen hem gelogen had. En die prachtige vaas zou ze toch nooit terugkrijgen...

"Ik denk dat Chanel haar lesje ondertussen wel geleerd heeft," zei ze stijfjes. Marie-Claire vloog om haar hals voor ze zich naar de hooischuur haastte om Chanel het goeie nieuws te vertellen.

"Chanel, kom, ik heb je nodig," zei ze. Ze trok een vies gezicht toen ze haar vriendinnetje in de vieze overall uit de hooischuur zag komen.

"Maar... mijn straf dan?" vroeg Chanel verbaasd.

"Ik heb een goed woordje voor je gedaan," zei Marie-Claire fijntjes, "en mama heeft je straf kwijtgescholden, dus ben je mij nog heel wat verschuldigd!"

Net op dat moment merkte ze Merel op die met Julie kwam aangelopen op zoek naar Jan.

"Waar kom jij ineens vandaan?" zei Marie-Claire verontwaardigd.

"Moet Chanel hier alles alleen doen of wat?"

Merel was zo verbaasd dat ze geen woord kon uitbrengen.

"Het is oké, Marie-Claire," zei Chanel. "Merel heeft ook hard gewerkt." Ze vond het helemaal niet leuk dat Marie-Claire zo gemeen deed tegen Merel.

Marie-Claire liet zich met tegenzin door Chanel meetrekken. "Ik hoop dat mama die Merel nu eens eindelijk gaat ontslaan," zei ze kwaad.

"Ze is best leuk," durfde Chanel te zeggen. Ze vond Merel veel leuker als vriendin dan Marie-Claire en Hedwig. Maar dat kon ze natuurlijk niet gaan zeggen.

"En dat jij het voor haar durft op te nemen!" siste Marie-Claire. "Je was zeker liever nog wat langer in de schuur gebleven?"

"Ja, misschien wel," zei Chanel. "Ik heb eigenlijk helemaal geen zin in dat Casper-gedoe."

"Wat? Ik heb jou verkeerd begrepen zeker?" Marie-Claire keek haar vriendinnetje stomverbaasd aan. Hoe durfde Chanel haar tegen te spreken?!

Zodra Merel en Julie Jan gevonden hadden, sleurden ze hem mee naar de stal van Amika. Voorzichtig opende hij de staldeur. Amika stond met hangende kop in de donkere stal en zijn ogen stonden droevig en dof. Het leek alsof Amika nog steeds niet had bewogen. Hij reageerde niet meer en hij had zijn eten en drinken duidelijk voor geen millimeter aangeraakt. Jan keek bedenkelijk. Zo had hij Amika nog nooit gezien.

"Het ziet er inderdaad niet goed uit," zei Jan stil. "Ik denk dat hij het heeft opgegeven."

Merel kreeg een krop in haar keel. Arme Amika...

"Merel, please, jij moet hem helpen, anders zijn we hem kwijt," smeekte Julie met tranen in haar ogen.

"Amika moet uit die stal, Merel," zei Jan. "Ik weet zeker dat jij het kunt."

Merel gaf haar verzet op. Haar hart brak als ze Amika zag. Eenzaam en alleen opgesloten in het donker, niet kunnen rennen of springen... Geen wonder dat hij geen zin meer had om te leven. En wat als die enge Ricardo hem zou meenemen? Wat zou er dan met hem gebeuren? Het was duidelijk dat Amika niets van die griezel moest hebben. Amika keek haar verdrietig aan met zijn grote, donkere ogen. Help me, leek hij te smeken. Jan had gelijk: ze moesten Amika helpen en snel ook. Wat kon het voor kwaad als ze hem aan een touw naar de weide bracht?

"Oké," zei ze. "Ik doe mee..."

Jan was opgelucht nu Merel eindelijk overstag ging en hem wilde helpen Amika weer beter te maken. Het allerbelangrijkste was nu dat Amika weer ging eten en dat zou alleen lukken als ze hem naar buiten kregen. "Morgenochtend vroeg brengen we hem naar de weide. We moeten het heel vroeg doen voor meneer de la Fayette zijn ronde doet," zei hij. "Een beetje licht en lucht zal hem goed doen."

Merel beloofde dat ze de volgende ochtend stipt om zeven uur bij de stal van Amika zou zijn...

Een uitgescheurde pagina

Merels papa was blij dat alles tussen hem en zijn dochter weer koek en ei was en hij vroeg geïnteresseerd naar haar dag op de manege. Maar Merel zei niet veel. Ze was met haar gedachten bij Amika. Ze zat aan tafel te piekeren over wat ze de volgende dag ging doen. Ze zou Amika naar de weide brengen. Maar wat dan met haar belofte aan haar papa? Ze dacht aan de foto die ze in het fotoboek gevonden had. De foto van zichzelf op het lievelingspaard van haar mama. Het was slechts een vage herinnering…

"Zeg papa," vroeg ze. "Was ik goed in paardrijden toen ik zes was?" Maar net zoals ze verwacht had, wilde hij geen antwoord geven op haar vraag en begon hij snel over iets anders. Blijkbaar had hij zich ingeschreven voor een uitvindersbeurs en hij wilde niets liever dan dat Merel hem zou helpen met de voorbereiding van zijn demonstratie.

Maar Merel had geen zin in uitvindingen. Ze voelde zich een beetje schuldig, maar haar hoofd stond er echt niet naar. Bovendien wilde ze de volgende dag om zeven uur op de manege zijn om samen met Jan Amika naar de weide te brengen. Ze wilde op tijd naar bed zodat ze zich zeker niet zou verslapen.

"Ik ben moe," zei ze. "Vind je 't erg als ik naar bed ga?"

Haar papa keek haar een beetje teleurgesteld aan. Ze wist dat ze hem kwetste door nee te zeggen, maar ze kon het echt niet opbrengen. Ze zou het wel goedmaken morgen.

Merel wilde naar haar kamer vertrekken en voor het slapengaan nog wat in haar mama's dagboek lezen. Maar waar was het dagboek? Ze wist zeker dat ze het laatst beneden in de woonkamer had gezien.

"Papa, weet jij waar mama's dagboek is?" vroeg ze.

"Eh… misschien op je kamer?"

Merel wist bijna zeker van niet, maar ging toch boven zoeken. Zonder veel succes. "Niet gevonden," zei ze toen ze terug beneden kwam. Een beetje tot haar verbazing overhandigde haar papa haar meteen het dagboek. "Het lag nog hier!" zei hij verontschuldigend.

Merel nam het dagboek mee in bed en hield het tegen haar borst gedrukt als een knuffelbeer. Ze sloot haar ogen, maar ze was te onrustig om te slapen. Allerlei gedachten spookten door haar hoofd. Morgen zou ze Amika uit de stal halen. En ze had haar papa nog zo beloofd dat ze uit de buurt van paarden zou blijven. Nu zou ze weer moeten liegen terwijl ze dat eigenlijk niet wilde… Maar had ze een andere keuze? Ze moest iets doen om Amika te helpen, toch? Amika had haar nodig!

"Ach mama, wat moet ik toch doen?" fluisterde ze tegen de foto aan de muur. Ze wilde niets liever dan op Amika rijden, maar dan verbrak ze haar belofte. Haar moeder keek haar onbeweeglijk aan met haar eeuwige lach.

Merel knipte het licht weer aan en bladerde door het dagboek op zoek naar een antwoord. Het dagboek viel open op de plek waar er een pagina uitgescheurd was… Vreemd, dit had ze daarvoor niet opgemerkt… Voor ze er verder over kon nadenken, hoorde ze beneden hulpgeroep. Papa! Ze sprong haastig uit bed en rende naar beneden.

Het geroep kwam uit de knutselkamer. Merel moest glimlachen toen ze haar papa op en neer zag wippen in een rare constructie van luchtmatrassen die aan elkaar vastgemaakt waren. Hij noemde het ding 'het tentenpak', een soort bed-tent van luchtmatrassen waarin je lekker kon slapen in openlucht, zonder dat je een tent nodig had. Haar papa had het tentenpak opgeblazen terwijl hij er zelf in zat, maar zat nu volledig klem tussen de te dik opblazen matrassen.

"Help me!" hijgde hij. "Ik stik! Ik kan niet bij het ventiel!" Merel grinnikte. Het was dan ook een erg grappig gezicht: haar papa die met een vuurrood hoofd boven de rand van de luchtmatras probeerde te kijken. Erg comfortabel zag het er niet uit. Merel greep een schaar en wilde het ding stukknippen, maar haar papa zag net op tijd wat ze van plan was. "Nee! Niet doen!" riep hij in paniek toen hij zag dat Merel zijn uitvinding naar de vaantjes wilde helpen. "Haal een tangetje om het ventiel los te maken, hiernaast in de lade!"

Merel holde naar de andere kamer en rommelde in de kastlade op zoek naar het tangetje. Gelukkig vond Merel het tangetje snel, maar toen ze het pakte, viel haar oog op een in twee gevouwen blad papier dat achteraan in de lade was gepropt. Ze trok het nieuwsgierig uit de schuif en vouwde het open. '*12 september*' stond er geschreven in het handschrift van haar moeder. Het leek wel een bladzijde uit het dagboek!

"Merel!" riep haar papa ongeduldig. Merel propte het papier in haar broekzak en ging hem bevrijden uit het tentenpak…

Casper gedumpt

Die avond moest het gebeuren: Florence moest Casper dumpen. En daar zou Marie-Claire voor zorgen. Ze had een geniaal plan bedacht dat niet kon mislukken. Hoe kon het ook anders: het was haar plan! En Hedwig en Chanel zouden haar helpen.

Ze zouden Florence naar de manege lokken en haar de verrassing van haar leven bezorgen. Maar eerst moest ze ervoor zorgen dat Casper uit de buurt was... Marie-Claire controleerde het werkschema van Casper: hij gaf paardrijles tussen acht en tien. Perfect...

Stap 1 van het plan: Florence naar de manege lokken. Dat was niet zo moeilijk, daarvoor hadden ze alleen de gsm van Casper nodig. Caspers gsm zat altijd in zijn jasje, dus dat werd een makkie. Alleen kon zij zich natuurlijk niet veroorloven om tegen de lamp te lopen, dus stuurde ze Chanel op dievenpad. Terwijl ze streng in de gaten gehouden werd door Marie-Claire pikte Chanel de gsm van Casper. Zodra ze de gsm had, drukte Marie-Claire met haar perfect gelakte vingertoppen de toetsen in. *'Ik verlang al de hele dag naar je. Kom je naar de manege om 9 uur? Ik heb een verrassing. XXX'*

Florence trapte met open ogen in de val. Nog geen minuutje later kregen ze een berichtje terug. *'Ik kom eraan!'*

"Yes!" juichte Marie-Claire. Stap 1 van haar plan was perfect verlopen.

Over naar stap 2... Marie-Claire haalde een rood kanten onderbroekje uit haar tasje en gooide het ding achteloos in de auto van Casper. "Bye bye Florence!" grapte ze terwijl ze de gestolen gsm in de auto bij het onderbroekje legde.

En dan was het wachten op het 'moment suprême' van de avond: Florence die het onderbroekje vond!

De avond viel en om iets voor negen verstopte Marie-Claire zich samen met de Z-Girls in het struikgewas rond de parking vanwaar ze prima zicht hadden op de auto van Casper.

Stipt op tijd kwam Florence de parking opgetrippeld in een rode jurk en op hoge schoenen. Ze was gekleed alsof ze naar een bal ging. Marie-Claire lachte in haar vuistje. "Ze had beter een zwarte jurk aangetrokken," zei ze duister.

"Hm..." zei Hedwig. "Ze heeft anders wel een goeie smaak."

Marie-Claire gaf haar een por. "Tuurlijk, ze valt op Casper!" siste ze.

Florence liep naar Caspers auto en keek zoekend rond of ze hem nergens zag. Marie-Claire, Hedwig en Chanel doken weg. Na enkele minuutjes kreeg Florence genoeg van het wachten en haalde precies zoals Marie-Claire voorspeld had, haar gsm uit haar tasje en toetste het nummer van Casper in. Caspers gsm, die Marie-Claire in de auto had gelegd, begon te rinkelen. Florence zuchtte toen ze Caspers gsm achter zich in de auto hoorde overgaan en bukte zich om hem te pakken. En daarbij viel haar oog precies waar Marie-Claires het wilde: op het sexy kanten onderbroekje. Met een gezicht vol afgrijzen haalde Florence het onderbroekje uit de auto.

"Bingo!" grijnsde Marie-Claire terwijl Florence met het onderbroekje in haar uitgestrekte arm naar de binnenpiste beende. De drie meisjes kwamen uit hun schuilplaats tevoorschijn en holden achter haar aan. Vooral Marie-Claire wilde niets van het schouwspel missen: Florence die het onderbroekje in het verbijsterde gezicht van Casper duwde en hem koeltjes vertelde dat het uit was. Marie-Claire kon haar geluk niet op: haar plan was geluk. Florence had Casper gedumpt. Nu stond er niemand meer in haar weg om Caspers hart te veroveren! Dat ze het bij het verkeerde eind had, wist ze toen nog niet...

Verbroken beloftes

Marie-Claire was in feeststemming nu Casper weer vrijgezel was. Straks, als de training erop zat, zou ze Casper gaan troosten. Ze wilde meteen plannen maken over hoe ze hem zou aanpakken. Maar Hedwig zei dat ze er voor die avond genoeg van had en naar huis wilde. Marie-Claire vond het een beetje verdacht dat ze zo snel naar huis wilde, het was tenslotte nog niet eens tien uur. Toch stond Hedwig erop om naar huis te gaan.

Een dik half uur later trok Marie-Claire met Chanel in haar kielzog naar de binnenpiste. Tot haar grote spijt was de piste verlaten. Casper was er vandaag vroeger mee opgehouden. Jammer, maar als ze zich haastte, trof ze hem misschien nog bij zijn auto aan. Marie-Claire haastte zich door het donker naar de parking. Tot haar grote opluchting stond Caspers auto er nog. Maar Marie-Claires vrolijke stemming verdween toen ze vooraan in de auto niet één maar twee mensen zag zitten. En ze zaten te zoenen!

"Verdorie, heeft hij het weer goedgemaakt met Florence?" blies ze kwaad tegen Chanel. Toen hoor de ze stemmen.

"O Casper, wat een prachtige ring!"

Zeg maar, dat was de stem van… "Hedwig? Maar dat kan niet?" zei Marie-Claire stomverbaasd. Toch was het zo: Casper zat in de auto te zoenen met niemand minder dan Hedwig.

"Ik vermoord haar! Hoe durft ze te kussen met Casper?!" Marie-Claire wilde meteen op de auto afstormen, maar Chanel hield haar tegen. De motor van de auto startte en voor Marie-Claire iets kon doen, reed Casper weg met zijn arm om Hedwig heen.

"Ik kap haar in stukjes!" stampvoette Marie-Claire. "Volgens mij zit ze al maanden achter Casper aan."

"Maar nee," probeerde Chanel.

Maar Marie-Claire had geen oren naar haar argumenten. Daarom wilde Hedwig zo vroeg naar huis: omdat ze Casper wilde hebben! "O nee!" bedacht ze plots. "Dat ik daar niet eerder aan gedacht heb... Hedwig werkt samen met Merel! Ja, zij heeft Merel opgestookt om een cocktail over Casper te gooien tijdens mijn feestje! Ze wilde hem al de hele tijd van mij afpakken!"

Chanel probeerde Marie-Claire te zeggen hoe vergezocht dat was, maar Marie-Claire wilde niet luisteren. Ze had nog een flink ei te pellen met Hedwig. En met Casper, zoveel was zeker!

Nadat ze haar papa uit zijn benarde positie bevrijd had, ging Merel terug naar haar kamer. Zodra ze alleen was, haalde ze de bladzijde die ze beneden in de kastlade gevonden had, uit haar zak. Ze vergeleek het handschrift: het was inderdaad het handschrift van haar mama. Haar ogen vlogen over het blad.

'Vandaag heeft Merel voor het eerst paardgereden. Ik was erbij. Mijn kleine meid heeft echt talent, ze is veel beter dan ik was toen ik zes was. Ik was zo trots op haar. Ik hoop echt dat ze later ook gaat paardrijden.'

Merels hart maakte een sprongetje van opwinding. Mama had gewild dat zij ook ging paardrijden! Het stond hier zwart op wit! Dit was het antwoord op haar vraag... Maar hoe kwam de bladzijde in de lade?

Merel bladerde door het dagboek tot bij het uitgescheurde stukje. Het stuk waar de bladzijde afgescheurd was, paste precies in de scheurlijn. Ze begreep hoe het zat: papa had het dagboek ook gelezen. Hij had niet gewild dat Merel dit zou lezen. Hij had de bladzijde uit het dagboek gescheurd en weggestopt. Hij wilde immers niet dat Merel zou gaan paardrijden.

Merel kon er niet bij: ze hadden elkaar net beloofd dat ze nooit nog zouden liegen tegen elkaar. Dat ze altijd eerlijk zouden zijn. En dan deed hij dit?

Merels hoofd deed pijn van het piekeren. Wat nu? Ze had beloofd dat ze niet zou paardrijden, terwijl haar moeder schreef dat ze graag wilde dat Merel ook ging paardrijden. En haar papa wist dat... En dan was er nog Amika. Wat zou er met Amika gebeuren? Amika was verkocht aan die vreselijke man. Was het te laat?! Na lang draaien en keren, viel Merel uiteindelijk in een onrustige slaap...

In de wei

De volgende ochtend schrok Merel wakker uit een vreselijke droom waarin Ricardo De Bruyn een heftige tegenstribbelende Amika in een paardentrailer sleurde. Zijn gemene lach galmde nog na in haar oren. Als door een bij gestoken, veerde Merel overeind. Amika! Ze moest Amika helpen voor het te laat was, voor hij verkocht werd aan die vreselijke man! Merel snakte naar adem toen ze zag hoe laat het was. 7u30! Ze had een half uur geleden bij de stal van Amika moeten zijn! Merel schoot haar kleren aan en stormde zonder ontbijt het huis uit. Ze sprong op haar fiets en trapte alsof haar leven ervan afhing.

Jan stond haar ongeduldig op te wachten. Waar bleef Merel toch? Hij had haar nodig. Amika had haar nodig! Amika wilde niets meer eten. En zonder eten, haalde hij het einde van de week niet. Het paard moest uit die stal en naar de weide. Maar zonder Merel durfde Jan het paard niet uit de stal te halen. Jan wilde het net opgegeven, toen Merel er kwam aangeracet.
"Ik heb me verslapen, het spijt me," hijgde ze. "Ben ik te laat?"
Jan keek weifelend op zijn horloge. "Over tien minuten begint meneer de la Fayette aan zijn ronde… We moeten opschieten."
Merel ging de stal binnen, maar het was de allereerste keer dat ze een paard de halster omdeed en het duurde even voor ze het ding op de juiste manier over Amika's hoofd kon krijgen. Amika werkte bovendien niet echt mee. Toen het haar eindelijk gelukt was, greep ze het paard bij de teugels en trok alsof haar leven ervan afhing. Amika sputterde eerst tegen, maar uiteindelijk slaagde ze erin om hem buiten te krijgen. Precies op dat moment kwam Herbert de la Fayette eraan… Merel trok Amika haastig weg achter de stal waar ze uit het zicht stonden.
"Wel, Jan?" vroeg hij nieuwsgierig. "Zo vroeg al aan het werk?"
"Eh… ja, ik was een beetje ongerust over Amika," stotterde

Jan. Merel hield haar adem in en hoopte dat Amika ook geen kik zou geven.

"Als er een probleem is met Amika wil ik dat graag als eerste weten!" hoorde ze meneer de la Fayette zeggen. Merel was bang dat hij de stal zou openen om naar Amika te kijken, maar gelukkig kreeg hij net op dat moment telefoon.

"Ik moet weg… Maar ik kom vanavond zeker kijken. En als er iets is, wil ik dat weten, begrepen?" Hij klonk streng.

Zodra hij verdwenen was, kwam Merel met Amika van achter de stal tevoorschijn.

"Poeh!" blies ze. Jan zag er erg geschrokken uit. Het was haar schuld dat ze bijna betrapt waren. Als ze op tijd was geweest…

"Het is die kant op!" wees Jan.

Ze sloegen een verlaten bosweg in die wegdraaide van de manege. Merel hield de teugels van Amika stevig was. Af en toe moest ze zich schrap zetten omdat hij hard aan de teugels rukte, maar hij was zo erg verzwakt dat ze hem voldoende de baas kon. Na een tijdje stappen kwamen ze bij een grote weide die helemaal omzoomd was met bomen. Hier kon niemand hen zien… Ze hoopten dat Amika meteen zou gaan grazen, maar Amika bleef doodstil en met hangende kop in het gras staan. Hij wilde nog steeds niet eten… Hij had het echt opgegeven.

"Verdorie!" zei Jan kwaad.

"Ik heb een idee," zei Merel. Ze tastte in haar zak en haalde een flinke wortel tevoorschijn. Omdat Amika ook de wortel niet wilde, nam ze er zelf een hapje van en duwde dan de aangebeten wortel onder de neus van het paard. Deze keer hapte Amika wel toe en het duurde niet lang of hij had de hele wortel op. Hij snuffelde aan Merels zak maar toen er geen nieuwe wortel tevoorschijn kwam, hapte hij in het gras.

Jan kon zijn opluchting niet verbergen. "Merel, nu weet ik het zeker," zei hij. "Jij kan toveren."

Merels hart maakte een sprongetje van geluk. Dit was het leukste complimentje dat ze ooit gekregen had. "Nee hoor," zei ze een beetje verlegen. "Dan zou ik jou in een kikker veranderen."

"Toch wel: jij hebt Amika vandaag gered. En als je zou willen zou je hem voor altijd kunnen redden. Heb je nog nagedacht over die wedstrijd?"

Merels glimlach verdween van haar gezicht. Amika naar de weide brengen was één ding. Maar op Amika rijden, dat was heel iets anders.

"Stel je voor dat jij die wedstrijd wint. En dat wij Herbert kunnen tonen wat een schitterend paard Amika is!" zei Jan.

"Het zou wel mooi zijn," vond Merel. "Maar het lukt nooit. Te weinig tijd. Er zijn nog maar enkele dagen en ik heb geen enkele ervaring."

"En als we nu superhard trainen? Jij bent de enige die in Amika's buurt mag komen. Wat denk je?"

Merel schudde haar hoofd. Het lukte toch nooit.

"Ik weet zeker dat het jou gaat lukken..." zei Jan lief, "omdat ik zie dat Amika jou vertrouwt."

Amika duwde zijn neus onder Merels arm alsof hij haar wilde overhalen. "Ik heb een belofte gemaakt..." zei ze zwakjes. Ze hoorde de stem van haar papa in haar hoofd. '*Je moet hier en nu beloven dat je nooit op een paard zal rijden.*'

"Aan je papa... En als je dat nu zelf heel graag wil? Probeer het misschien eventjes..." probeerde Jan. "Eén minuutje. Dat kan toch geen kwaad?"

Merel dacht aan de woorden van haar moeder. '*Ik hoop echt dat ze later ook gaat paardrijden...*' Ze keek naar Amika. Ze wilde het zo graag en heel eventjes was toch niet zo erg? Merel zwichtte. "Oké, ik zal proberen er eens op te zitten," zei ze met de bedoeling om echt maar heel even op Amika's rug te zitten.

Zonder stijgbeugels en zadel op Amika's rug klimmen was wel niet zo gemakkelijk als ze had gedacht en zonder Jans hulp was het nooit gelukt. Maar toen Merel uiteindelijk hoog op de brede rug van het paard zat, voelde ze zich de koning te rijk. Dit was het meest overweldigende gevoel dat ze ooit had gehad. Ze zat zo hoog en het paard voelde zo vertrouwd aan! "Dit is supergeweldig!" zei ze en ze sloot haar ogen en droomde weg. In haar gedachten draafde ze hoog op Amika langs de piste, ze voelde zelfs bijna de wind in haar haren; het zachte ruisen van de wind in de bomen rond de weide zwol aan tot het gejoel en het handengeklap van het publiek in de tribune rond haar ingebeelde piste.

Jan keek glimlachend naar haar op. Hij had zijn eerste slag thuisgehaald. "Kom er nu maar af," zei hij. "Anders ga ik weer over die wedstrijd beginnen."

Merel opende verdwaasd haar ogen. Ze was terug in de weide, maar ze zat nog steeds op Amika. Dit voelde zo goed, zo juist. En ze wist dat ze de rest van haar leven spijt zou hebben als ze deze kans niet greep om Amika te redden. "Ik doe het," zei ze tegen zichzelf.

Jan keek haar verbaasd aan. "Wat zei je?"

Merel keek hem triomfantelijk aan. "Ik doe het. Ik ga de wedstrijd rijden!"

Omdat ze niet veel tijd meer hadden en Merel al jaren niet meer op een paard had gezeten, besloot Jan dat ze beter meteen gingen oefenen. Merel moest op de rug van Amika blijven zitten terwijl Jan het paard door de weide rondleidde. Zo kon Merel aan het ritme van het paard wennen. Maar zodra Amika in beweging kwam, zonk de moed in Merels schoenen. Dit was eng! Bij elke stap schommelde het paard heen en weer en Merel moest moeite doen om haar evenwicht te houden en er niet af te vallen. En de afstand tot de grond leek zo vreselijk groot! Merel begon eraan te twijfelen of dit zo'n goed idee was geweest.

Jan zag dat ze bang werd en zodra Merel begon te panikeren, werd ook Amika onrustig. "Rustig," suste Jan, "beweeg gewoon mee op het ritme, Merel. Vertrouw me nu maar." Hij reikte met zijn hand naar haar gebreide muts en trok die over haar ogen. Merel zag nu niets meer maar vreemd genoeg verdween ook de angst. Jan gaf een kort rukje aan het leidsel en Amika begon te stappen. Beetje bij beetje voelde Merel het ritme van het paard in zich overgaan. Het was alsof ze in een schommelstoel zat en mee wiegde met de beweging van het paard. Algauw bewoog ze volledig met het dier mee. Het leek alsof ze samen één werden: Amika en Merel...

143

Marie-Claire neemt wraak

Marie-Claire maakte zich humeurig klaar voor de rijles. Straks zou ze Casper en Hedwig zien en ze wist nog steeds niet hoe ze moest reageren nu ze hen had zien zoenen. Ze stond nijdig haar paard op te tuigen.

Chanel hield haar angstvallig in de gaten. "Heb je nog wat kunnen slapen?" vroeg ze bezorgd.

"Chanel, sst!" siste ze geërgerd. Hedwig kwam hun richting uit en Marie-Claire wilde niet dat ze wist hoezeer ze haar gekwetst had. Ze kon haar ex-vriendinnetje wel naar de keel vliegen, maar ze hield zich in.

"Kan ik je even onder vier ogen spreken?" vroeg Hedwig een beetje bang.

Chanel wilde gauw weglopen, maar Marie-Claire hield haar tegen. "Ik heb geen geheimen voor Chanel!" zei ze. Chanel bleef enorm tegen haar zin staan.

"Eh… het zit zo…" begon Hedwig. "Ik heb gisteren met Casper gezoend. Ik weet dat je dat heel erg vindt, maar ja, als twee mensen voor elkaar gemaakt zijn, houd je dat niet tegen, hé… Ben je nu boos?"

Marie-Claire slikte hard. Waar haalde Hedwig het lef om zo eerlijk te zijn?! Haar bloed kookte van woede, maar ze zou zich niet laten kennen. "Nee hoor," zei ze alsof het haar werkelijk geen moer kon schelen.

"Z-Girls forever?" vroeg Hedwig schijnheilig.

Marie-Claire gaf een kort knikje.

Hedwig dacht echt dat alles weer goed was tussen hen. "Kijk eens wat ik van Casper gekregen heb?" zei ze trots en ze duwde Marie-Claire een enorme ring onder de neus. "24 karaat. Wat een schatje, hé?"

Marie-Claire stikte bijna van jaloezie. De ring zag er ongelooflijk duur uit. Dit had haar ring moeten zijn!

"Maar ik laat jullie, Casper en ik hebben afgesproken…" Hedwig zwaaide haar hoofd in haar nek en liep weg om Casper een stevige zoen te geven. Marie-Claire keek haar woest na.

"Vind je 't echt niet erg?" vroeg Chanel bang.

"Natuurlijk, domkop!" siste ze. "Dat geslepen wicht! Ze wou gewoon die ring!"

Na de rijles zaten ze allemaal in de kantine. Casper en Hedwig hingen in de zetels verliefd om elkaars nek, terwijl Marie-Claire hen van bij de bar jaloers zat af te luisteren. Chanel zat er wat verveeld bij.

Casper was bezig over de komende Lente Jumping. Er zou een delegatie komen kijken van het nationaal Olympisch team en natuurlijk hoopte Casper dat ze hem - de hoofdtrainer van de manege - zouden opmerken. Hedwig luisterde ademloos en zei hoe trots ze wel op hem was en hoe blij haar ouders waren dat zij nu verkering had met de hoofdtrainer van de manege. Marie-Claire werd er haast misselijk van. Moest Casper geen hoofdtrainer zijn, dan zou Hedwig vast niet eens naar hem omkijken…

Plots ging er een lichtje branden bij Marie-Claire. Dat was het, dacht ze grimmig, ze zou ervoor zorgen dat Casper ontslagen werd. Dan zou het probleem 'Hedwig' meteen van de baan zijn! Ze wist dat er die middag een erg belangrijke sponsor voor de Lente Jumping zou langskomen. Haar vader had erop gehamerd dat ze absoluut een goede indruk moesten maken. Wat als Casper nu eens roet in het eten zou strooien? Dan zou haar vader hem vast op staande voet ontslaan.

Zodra Casper dicht genoeg in haar buurt was, begon Marie-Claire megaluid een gesprek met Chanel.

"Chanel, ik heb super nieuws," riep ze zodat Casper haar zeker zou horen. "Mijn papa heeft een nieuwe trainer gevonden. Hij komt om twee uur langs. Hij heeft superveel ervaring en hij wordt misschien de nieuwe hoofdtrainer."

Bij de woorden 'nieuw' en 'hoofdtrainer' spitste Casper de oren. Precies zoals Marie-Claire verwacht had. Ze zag een denkrimpeltje over zijn voorhoofd trekken. Wilde Herbert de la Fayette hem aan de kant schuiven voor een andere trainer? Nee toch!...

Die middag, stipt om twee uur stond Casper op de uitkijk naar de man die hem zijn baantje wilde afpakken. Tenminste, dat dacht hij toch.

De sponsor van de Lente Jumping was stipt op tijd, zag Marie-Claire. Ze had zich met Chanel op het terras bij de kantine gezet zodat ze alles van dichtbij zou kunnen zien. Casper was er ook. Van op een afstandje keek hij toe hoe haar vader de hand van de sponsor schudde en hem vroeg wat hij wilde drinken. Zodra de man alleen was, ging Casper op hem af.

"Mooi weer hé vandaag?" zei hij scherp.

De sponsor keek hem verbaasd aan. "Eh… ja?"

"Ja? Ja? Denk je dat ik je niet doorheb, fluttrainertje!" riep Casper kwaad. Marie-Claire vond het geweldig. Ze gierde het bijna uit.

"Excuseer?" zei de man.

"Ik ben hier de hoofdtrainer! Maak dat je wegkomt!" riep Casper en hij sprong op de tafel als een echte kemphaan, "of ik breek je benen!" De arme man sprong geschrokken op. Toen Marie-Claires vader buitenkwam met de drankjes, zat hij al achter het stuur van zijn wagen.

"Meneer de la Fayette, ik wil u graag sponsoren, maar niet zolang u zo'n gek als hoofdtrainer in dienst heeft!" riep hij kwaad.

Herbert de la Fayette was woest. "Casper, hoe kun je nu zo stom zijn? Dat was onze hoofdsponsor! Denk je dat je alles mag omdat je hoofdtrainer bent? Ik heb slecht nieuws voor jou: je bent ontslagen als hoofdtrainer!"

Casper snapte er niet veel van, maar hij begreep wel dat hij een enorme stommiteit had uitgehaald. "Sponsor? Maar dat wist ik niet! Meneer de la Fayette!" probeerde hij nog, maar het oordeel was onverbiddelijk.

"Je mag al tevreden zijn dat ik je hiervoor niet helemaal aan de deur zet!" zei Marie-Claires vader kwaad. "Vanaf nu ben je gewoon trainer! Ik zoek een andere hoofdtrainer!"

Marie-Claire was ongelooflijk trots op zichzelf. Het was haar weer eens gelukt! "Eens zien of Hedwig nog zo verliefd is als ze dit hoort," zei ze vol leedvermaak.

Chanel had medelijden met de arme Casper. "Waarom doe je dit toch allemaal?" vroeg ze. "Ik vind het echt erg!"

Maar dat vond Marie-Claire helemaal niet. Ze vond het net goed. Iedereen kreeg zijn verdiende loon. Ze kon haast niet wachten tot Hedwig kwam opdagen om haar het nieuws te vertellen. Marie-Claire kende haar ex-vriendinnetje maar al te goed: Hedwig was heel ijdel en als Casper geen hoofdtrainer meer was en gedegradeerd was tot een gewoon trainertje, zou ze hem laten vallen als een steen. En Marie-Claire kreeg gelijk... Zodra Hedwig hoorde dat Casper hoofdtrainer af was, maakte ze het op staande voet uit (al hield ze de ring natuurlijk wel).

"Arme Casper," glimlachte Marie-Claire. "Twee keer na elkaar gedumpt..." Eigen schuld dikke bult, dacht ze tevreden. Hij had maar meer oog voor haar moeten hebben. Tenslotte was zij de dochter van de baas!

Oefenen en nog eens oefenen

Merel voelde zich beter dan ooit tevoren. En dat kwam niet alleen door het tochtje op Amika. Ze had eindelijk het gevoel dat ze iets deed waar ze trots op kon zijn: ze zou Amika redden, ze zou de hele wereld tonen wat een fantastisch paard hij was. Al deed ze het ook een beetje voor zichzelf. Ze hield zo zielsveel van paarden dat ze bijna niet kon geloven dat ze zolang die gevoelens weggedrukt had. Het ritje op Amika had haar zo'n geweldig gevoel gegeven dat ze geen woorden vond om het te omschrijven. Het voelde alsof ze verliefd was, maar nog beter, alsof ze de hele wereld aankon. Al haar twijfels of ze het nu wel of niet zou doen, waren verdwenen. Merel hoorde op een paard. En ze wist dat haar mama het met haar eens was. Het voelde gewoon... juist.

Maar natuurlijk was Merel nog lang niet klaar voor een wedstrijd. Nadat ze Amika terug naar de stal hadden gebracht, ging Jan meteen aan de slag om haar alle basistechnieken van het paardrijden bij te brengen. Oefenen deden ze niet op de rug van een paard, maar op een strobaal in de hooischuur. Merel kreeg een dik boek op haar hoofd en moest zo proberen alle commando's van Jan uit te voeren zonder dat het telefoonboek zou vallen. Het was heel belangrijk dat ze de juiste houding vond en haar balans leerde bewaren.

Hoewel ze niets liever wilde dan leren paardrijden, kon Merel echter maar met moeite haar hoofd bij de les houden. Jan was de hele tijd zo vreselijk dicht bij haar dat ze voortdurend afgeleid was. Ze begon te stuntelen en elke keer als hij haar aanraakte om iets aan haar houding te veranderen of om haar iets te tonen, gingen er tintelingen door haar heen waardoor ze nog meer ging stuntelen. Telkens weer dacht ze terug aan die keer dat ze bijna gekust hadden. Maar Jan leek haar verwarring niet op te merken. Hij bleef haar geduldig uitleggen wat ze verkeerd deed, waar ze moest op letten, hoe ze haar armen en benen moest bewegen...

's Avonds fietste Merel dolgelukkig naar huis. Het was een superleuke dag geweest. Het ging vandaag zo veel beter met Amika en de hele dag was Jan bij haar gebleven. Ze hadden alles samen gedaan. Ze hadden samen gewerkt en ze hadden samen geoefend.

Haar papa was echter in een minder vrolijke bui. De uitvindersbeurs was de volgende dag al en hij was nog helemaal niet klaar met zijn presentatie. Merel merkte meteen dat hij uit zijn hum was. Ze wist hoe belangrijk de uitvindersbeurs voor hem was en ze voelde zich schuldig omdat zij zo gelukkig was met iets waar hij zo tegen was. Dus zei ze in een opwelling dat ze de volgende dag met hem mee zou gaan voor de demonstratie van het tentenpak op de uitvindersbeurs. Om vier uur, na haar werk. Als geluksknuffel.

"Meen je dat?" vroeg haar papa verheugd.

Merel knikte. "Ja hoor, ik stop om vier uur en dan kom ik met je mee!"

Haar papa was opgelucht en blij. Sinds Merel op de manege werkte, had hij het gevoel dat hij haar langzaam kwijtraakte. Maar nu ze met hem wilde meegaan, had hij eindelijk weer het gevoel dat Merel om hem gaf, dat ze trots op hem was.

Voor ze die avond in bed kroop, wilde Merel nog wat van de oefeningen herhalen die Jan haar gegeven had. Ze ging op haar kamer op een stoel zitten en legde een boek op haar hoofd. Ze probeerde haar armen en benen apart op te tillen terwijl ze haar hoofd stokstijf hield zodat het boek bleef liggen. Plots hoorde ze voetstappen op de trap. Ze sprong haastig in bed en sloot haar ogen. Toen haar papa binnenkwam, deed ze alsof ze sliep.

"Merel?" vroeg hij aarzelend. Merel hoorde aan zijn stem dat hij iets heel belangrijks wilde zeggen. Iets wat ze niet wilde horen. De bladzijde uit het dagboek... Ze hield haar ogen stijf gesloten.

"Merel, ik weet dat jij de pagina uit het dagboek gevonden hebt en dat je ze gelezen hebt," zei hij. "Het spijt me... Ik had die er niet mogen uitscheuren."

Merels adem stokte even en ze wist dat hij doorhad dat ze niet echt sliep. Toch hield ze haar ogen dicht. "Ik hoop dat je vooral geen domme dingen doet..." zei hij nog voor hij de kamer uitging.

Merels maag draaide zich om in haar buik. Wat nu? Ze voelde zich zo schuldig! Kon ze hiermee wel verdergaan?... Wist haar papa waar ze mee bezig was?

De nieuwe rijleraar

Twee dagen voor de Lente Juming werd Marie-Claire 's morgens uit een zalige droom wakker geschud door haar moeder. Ze had heerlijk gedroomd over Casper die haar van haar paard tilde en haar allerlei lieve woordjes toefluisterde. Ze wilde hem net gaan kussen, toen haar moeder de dekens van haar bed trok.

"Marie-Claire, je moet opschieten!" zei ze dwingend.

Marie-Claire keek slaperig naar de wekker. Het was pas half tien! Toen herinnerde ze zich waarom ze zo vroeg uit bed moest. Haar vader had in allerijl een andere hoofdtrainer moeten zoeken en de vervanger van Casper begon vandaag. Een zekere Chris Bogaerts die vroeger nog Olympisch kampioen was geweest. Marie-Claire was van plan om een verpletterende indruk te maken op de nieuwe trainer. Je wist maar nooit: misschien was die 'Chris' wel even knap of misschien zelfs knapper dan Casper. Casper zou vast stikjaloers zijn op de nieuwe trainer die natuurlijk ogenblikkelijk voor haar charmes zou vallen…

Marie-Claire nam de nodige tijd om zich om te kleden en op te maken. Het was erg belangrijk om de juiste kleren en de juiste make-up te hebben, vond ze. Ze stond wel een halfuur voor de spiegel te draaien en te keren voor ze wist wat ze precies zou aantrekken: een felroze bloesje waarvan ze de bovenste vier knoopsgaten open liet staan, haar bijpassende lichtroze rijbroek en natuurlijk haar jasje van de Z-Girls. Dan een vleugje parfum (niet té veel had ze nu wel geleerd) en een rode roos (bloem van de passionele liefde!) in haar haren en ze was klaar.

Perfect opgemaakt en in haar meest sexy rijkleren liep Marie-Claire op haar dooie gemak naar de les. Dat ze te laat was, vond ze niet erg. Tenslotte was zij de dochter van de baas en veruit de knapste van alle paardrijdsters.

Toen Marie-Claire de piste binnenwandelde, stonden de andere meisjes al in het midden van de piste bij de nieuwe rijleraar.

Marie-Claire bestudeerde hem van op een afstandje: hun nieuwe trainer was lang en mager en hij droeg een afgewassen jeansbroek met afgelopen cowboylaarzen (sexy!), een geruit cowboyhemd met mouwloos leren jasje (stoer!) en hij had op zijn hoofd een echte Stetson! De kerel had zijn strokleurige haar bovendien in een staartje gebonden (cool!). Jammer genoeg stond hij met zijn rug naar haar toegedraaid zodat ze zijn gezicht niet goed zien, maar dat kon alleen maar meevallen. Marie-Claire trippelde naar het midden van de piste en ging bij de rest van de meisjes staan.

"Is hij een beetje knap?" fluisterde ze Chanel toe.

"Sst!" siste Chanel nog, maar de nieuwe trainer had haar gehoord en draaide zich naar haar toe. Marie-Claire kreeg bijna een beroerte. De trainer - Chris - was geen man, maar een vrouw...

"Jij bent zeker Marie-Claire?!" zei Chris de nieuwe trainer ijzig. Een overbodige vraag: de andere meisjes waren er allemaal al.

"Ja," zei Marie-Claire.

"Ja, mevrouw," verbeterde de vrouw haar kordaat. Ze trok de roos los die Marie-Claire met een sierspeld in haar haren had gestoken en gooide hem op de grond. "Bloemen en planten laten we vandaag thuis!" zei ze kil. "En die blouse moet ook dicht. We zijn hier voor de Lente Jumping, niet voor een modeshow!"

Marie-Claire wilde protesteren maar de vrouw keek haar zo streng aan dat ze snel haar blouse tot en met het bovenste knoopje dichtknoopte.

"Vandaag begint de strenge selectie voor de Lente Jumping," ging hun nieuwe trainer verder. "Slechts twee meisjes van deze manege mogen meedoen. Dus ik wil vandaag kijken hoe het met jullie conditie is gesteld." Chris Bogaerts deelde aan de meisjes camouflagevestjes uit die ze moesten aantrekken over hun rijkledij. Daarna moesten ze rondjes lopen rond de piste. Marie-Claire wilde protesteren, maar niet meelopen betekende zoveel als niet geselecteerd worden voor de Lente Jumping. Dus begonnen Chanel, Hedwig en Marie-Claire samen met de andere meisjes met enorm veel tegenzin aan hun eerste rondje...

Na een rondje door de binnenpiste draafden ze als paarden naar buiten. In de springpiste lagen strobalen en hindernissen waar ze onder het toeziend oog van trainer Chris moesten over huppen en springen. Al gauw lagen ze met z'n drieën achterop en ze puften en steunden als drie oude besjes die de 100 meter sprint hadden gelopen.

"Schiet eens op, Marie-Claire!" riep Chris van aan de kant.

"Zeg, schiet zelf op!" mopperde Marie-Claire. Ze gaf Chanel die voor haar liep, een duwtje. "Vooruit, Chanel! Als ik de selectie niet haal, is het jouw schuld!"

Door de duw in haar rug struikelde Chanel echter over een strobaal. Marie-Claire en Hedwig vielen als drie dominosteentjes over haar heen en tuimelden in het gras. "Chanel!" gilde Marie-Claire woest. "Lomperik!" De drie meisjes bleven uitgeput naast elkaar liggen.

"Dat zijn vijf strafpunten!" riep Chris.

"Ik krijg een hartaanval," hijgde Hedwig.

"Van wat: van het sporten of van die paardenkop!" morde Marie-Claire kwaad en net iets te luid.

Jammer genoeg had hun nieuwe trainer heel scherpe oren. "Dat heb ik gehoord!" zei ze. "Dat kost je tien keer pompen."

Marie-Claire was woest. "Ben je gek? Nee!" zei ze beslist en ze kruiste haar armen.

Maar Chris Bogaerts was een harde tante zonder enig begrip voor verwende rijkeluisdochters. "Tien keer pompen of tien strafpunten," zei ze. "En dan kun je die Lente Jumping al meteen uit je hoofd zetten."

Marie-Claire kon niet anders... Zeer tegen haar zin begon ze aan tien halfslachtige pompbewegingen. En dan kon ze net als haar vriendinnetjes weer gaan lopen en springen...

Marie-Claire schoot de hele tijd venijnige blikken af op hun nieuwe trainer, maar die bleek daar totaal ongevoelig voor te zijn. En tot overmaat van ramp leken haar ouders erg opgezet te zijn met de ongewoon strenge aanpak van Chris Bogaerts. Terwijl zij het bloed uit haar lijf liep en sprong, stonden haar moeder en haar vader goedkeurend te knikken langs de kant van de piste.

Toen de les eindelijk afgelopen was waren alle meisjes uitgeput. Maar hun lijdensweg was nog niet gedaan. In de kantine kregen ze een examen voorgeschoteld om hun theoretische kennis te testen. De toets telde bovendien mee voor 50 procent van de eindbeoordeling...

"Wat?!" steunde Marie-Claire. Toen ze de vragenlijst zag, zag ze het bijzonder somber in. Op de helft van de vragen wist ze het antwoord niet. Met gokken zou ze het nooit halen en dus zou ze niet geselecteerd worden voor de Lente Jumping! Tot haar grote ergernis zat Chanel de hele tijd te schrijven alsof haar leven ervan afhing. Chanel had blijkbaar geen problemen met de vragen... Ze moest iets doen of ze was gediskwalificeerd en dat kon ze niet laten gebeuren...

Toen hun tijd om was, moesten ze de examenformulieren vooraan gaan inleveren.

"Geef maar," zei ze vriendelijk tegen Chanel. Die gaf haar blad nietsvermoedend aan Marie-Claire. Zonder dat iemand het merkte, haalde Marie-Claire met corrector de naam van Chanel door en schreef haar eigen naam boven het examenblad van Chanel. Op haar eigen blad schreef ze Chanels naam...

Alles slaat tegen

Zo goed als het gisteren voelde, zo slecht voelde het vandaag. In de namiddag waren Merel en Jan met Amika naar de weide gegaan om te oefenen. Jan hield Amika aan de longe terwijl Merel de teugels stevig in haar handen klemde. Maar Merel zat houterig en zo stijf als een plank in het zadel. Ze was vreselijk angstig en hoe meer rondjes ze maakte, hoe banger ze werd. Het vlotte helemaal niet. Ze wist dat ze er niets van terecht bracht en ze geraakte gefrustreerd omdat Amika niet deed wat zij wilde. Ook Amika raakte helemaal in de war.

"Naar links, Amika!" riep ze en ze hupte op en neer in het zadel. In plaats van naar links te gaan zoals zij wilde, draaide Amika zenuwachtig naar rechts.

"Een leuke methode om een paard te besturen!" zei Jan hoofdschuddend. "Hoe kan hij nu weten wat je bedoelt als je zo beweegt?"

Merel baalde. Ze liet zich uit het zadel glijden. "Ik ben het beu," zei ze huilerig. "Het lukt toch nooit."

"Je moet rustig aangeven waar je naartoe wilt," zei Jan vriendelijk. "Een paard reageert op de minste beweging die je maakt."

"Ik ga me zo belachelijk maken tijdens die wedstrijd."

"Dan hebben we tenminste iets om mee te lachen," zei Jan lief. "Weet je wat?" zei hij. "We stoppen er gewoon mee voor vandaag. Het is al laat en zo... Ik wil niet dat je oververmoeid geraakt." Hiermee had Jan een gevoelige snaar geraakt. Merel was geen verwend klein meisje en ze was zeker geen opgever.

"Ik ben geen softie en ook niet te klein!" zei ze beslist. Ze kroop dapper terug in het zadel om het opnieuw te proberen. Ze deed haar best om precies te doen wat Jan haar zei, en het lukte iets beter. Ze was zo geconcentreerd bezig dat ze helemaal de tijd uit het oog verloor.

"Prima!" zei Jan. "Zullen we nu proberen naar galop te gaan?" Merel knikte.

Maar hoe sneller Amika ging, hoe banger Merel werd. En zodra

Amika in galop ging, loste ze de teugels. Ze had geen houvast meer en ze werd uit het zadel geworpen. Merel slaakte een luide gil toen ze op de grond viel. Ze bleef doodstil in het gras liggen.

Jan knoopte Amika paniekerig vast aan de omheining en stormde ongerust op zijn vriendinnetje af. Merel kreunde. Ze had vreselijke pijn aan haar rechterbeen. Jan trok voorzichtig haar laars uit. Gelukkig had Merel niets gebroken. Haar scheenbeen was wat gekneusd en het deed pijn, maar ze was oké. Aan de buitenkant tenminste. Merel was boos op zichzelf. Boos en verdrietig omdat het haar maar niet lukte om Amika onder controle te krijgen.

"Zie je wel!" zei ze teleurgesteld. "Ik kan het niet." Ze keek op haar gsm. Ze had het volume uitgezet zodat Amika niet zou opschrikken als hij plots overging. Ze had enkele oproepen gemist. 'Papa' stond er op de display.

"O, nee!" schrok Merel. Ze was de uitvindersbeurs helemaal vergeten. Ze sprong op en racete zonder uitleg en zo snel als mogelijk was met haar pijnlijke been, de weide uit.

Ze fietste alsof haar leven ervan afhing naar het dorp. In de verte sloeg de torenklok vijf uur. "O nee o nee o nee!" jammerde ze. Haar papa zou woest zijn. Wat dom dat ze niet op de tijd gelet had! Toen ze aankwam bij de dorpszaal waar de uitvindersbeurs doorging, was het vijf over vijf. Merel gooide haar fiets tegen de muur en haastte zich naar binnen. Ze liep alle lokalen af tot ze achter een deurraam haar papa in het tentenpak voor een vierkoppige jury zag staan. Hij had het tentenpak bijna zelf opgepompt dus zijn demonstratie zat er bijna op. Merel haalde diep adem en duwde de deur open.

Haar papa draaide zich verbaasd om. "Merel!" zei hij opgelucht. "Eh... dit is mijn assistente, Merel dus." Merel maakte een klein buiginkje en nam de pomp van het tentenpak over, maar ze wist niet meer wat ze moest zeggen. Ze stond wat onnozel naast haar papa en staarde naar de grond.

"Eh... dit is dus het ideale tentenpak voor al uw vakanties en voor festivals..." ging haar papa verder. "Het neemt haast geen ruimte in beslag. Het enige wat u hoeft te doen is het op te pompen! Voila!" Merel maakte weer een buiging. Ze was haar tekst volledig vergeten.

De jury leek opgelucht dat ze klaar waren. "U hoort nog van ons," was hun enige commentaar. Merel zag dat haar papa erg teleurgesteld was. Beschaamd liep ze achter hem het lokaal uit. Ze zette zich schrap voor de donderpreek die ze zo dadelijk zou gaan krijgen.

Maar toen ze thuiskwamen, had hij nog steeds geen woord tegen Merel gezegd. Merel wist dat hij razend was...

Merel voelde zich rot. Ze was egoïstisch geweest. Ze had alleen aan zichzelf gedacht terwijl ze wist hoe belangrijk dit voor haar papa was.

"Het spijt me," zei ze gemeend. "Het spijt me echt, ik was het vergeten."

"Vergeten? Hoe kan je nu zoiets vergeten? Je had het beloofd!" Haar papa ontplofte bijna. "Dit had mijn grote doorbraak kunnen worden. Maanden werk, voor niets. Wat was er zo belangrijk dat jij niet op tijd kon zijn?"

"Ik was aan het werk," loog Merel.

Haar papa keek haar scherp aan. "Ik hoop voor jou dat jij niet liegt!"

Merel werd vuurrood van schaamte. Wist hij dat ze op Amika gereden had? Ze loog en hij wist het! "Papa," begon ze, maar hij wilde niets meer horen. Hij tilde zijn handen op als teken dat ze hem even gerust moest laten. Hij verdween in zijn knutselkamer en liet Merel alleen met haar spijt die veel te laat kwam.

Zodra ze alleen was, belde Merel naar Jan en vertelde hem huilend wat er was gebeurd. Ze had beloofd om haar papa te helpen met de demonstratie van zijn tentenpak en nu was het haar schuld dat hij zo geklungeld had. "Ik kan het niet," snikte ze aan de telefoon. "Ik wil niet meer liegen. Ik heb hem zo teleurgesteld. Sorry... je moet iemand anders zoeken voor Amika."

Jan zuchtte. "Dat is het nu net, Merel... Er is niemand anders! Jij bent de enige die Amika kan helpen!"

Merel wist dat het waar was. Zonder haar was Amika zeker verloren. Wat moest ze toch doen?

Merels mama

Na de conditietraining en het examen waren de meisjes van de manege nog niet verlost van Chris Bogaerts. De Lente Jumping was al over twee dagen en hun nieuwe trainer wilde de weinige tijd die ze had, optimaal gebruiken, zei ze. De volgende dag was de praktische rijtest en dan werd beslist wie wel en wie niet mocht deelnemen. Als 'opwarmertje' werden ze die avond om zeven uur in de kantine verwacht voor een instructiefilm over de paardensport en jumping in het bijzonder. Marie-Claire baalde, ze had helemaal geen zin om naar een saaie film te kijken. Maar er zat niets anders op: niet aanwezig zijn stond gelijk met uitsluiting. Gelukkig was er één pluspuntje: voor de film van start ging, kregen ze de uitslag van de theoretische test.

Marie-Claire maakte zich geen zorgen. Chanel had gezegd dat ze alle antwoorden wist. En ze kreeg gelijk: er prijkte een uitstekende 9,5 bovenaan het blad waarop Marie-Claire haar naam had geschreven, de beste uitslag van allemaal. Marie-Claire nam glunderend haar examenblad en de felicitaties van Chris Bogaerts in ontvangst. Chanel trok echter wit weg toen ze haar cijfers hoorde: 4 op 10... De laagste score van allemaal. Ze snapte er niets van. Ze dacht dat ze het er zo goed van af had gebracht?! Voor ze kon kijken wat ze allemaal precies fout had beantwoord, griste Marie-Claire het examenblad uit haar handen. "Kom Chanel, je moet niet zo in het verleden leven," zei ze snel. Gelukkig voor Marie-Claire dimde Chris op dat moment de lichten zodat Chanel niet zag dat Marie-Claire het vervalste examenblad in de vuilbak gooide.

Jan startte de instructiefilm en op het scherm verschenen de foto's van de drie beste amazones die ooit de Lente Jumping hadden gewonnen: Lotje Huysmans, Lies van Dyck en Sofie De Ridder. Jan werd vuurrood. Marie-Claire geeuwde. Dit werd vast weer megasaai...

Merel zat in haar eentje te treuren na de ruzie met haar papa toen haar telefoon rinkelde. Het was Jan. Merel nam haastig op. "Jouw mama is Sofie De Ridder!" stak Jan meteen van wal. "Waarom heb je dat nooit gezegd? Nu snap ik waarom je zoveel talent hebt!"

Jan wist dat haar mama gestorven was bij een val met haar paard, maar hij wist niet dat haar mama de beroemde amazone Sofie De Ridder was. Pas toen hij haar foto had herkend op het instructiefilmpje van Chris Bogaerts, had hij het begrepen. Maar Merel wilde niet over haar mama praten.

"Ik moet ophangen," zei Merel.

"Merel," zei Jan, "je bent toch niet vergeten wat je mama in haar dagboek heeft geschreven?"

Merel slikte hard. "Jan, ik..." begon ze. Waarom begreep hij niet hoe moeilijk dit voor haar was?

"Merel, als er iemand is die Amika kan redden door Marie-Claire te verslaan, dan ben jij het wel!" zei Jan lief.

"Ik heb niet hetzelfde talent als mama, oké? En nu moet ik echt ophangen..." Zonder op een antwoord te wachten, haakte ze in. Ze stond op en ging meteen weer zitten. Haar voet deed nog altijd pijn...

Net als de vorige nachten sliep Merel barslecht. Haar papa was nog steeds boos en Merel werd geplaagd door schuldgevoelens. Het was haar schuld dat de hele presentatie in het honderd was gelopen. En dan was er nog Amika. Jan wist nu wie haar mama was en hij had haar gezegd dat ze evenveel talent had, maar dat geloofde ze zelf niet. Waarom was ze dan van Amika gevallen? Waarom was ze dan zo bang om het opnieuw te proberen? Moest ze dit wel doen? Ze had haar papa die dag enorm teleurgesteld. Als hij zou weten dat ze haar belofte verbroken had, zou hij nog veel erger teleurgesteld zijn. Maar wat zou er dan gebeuren met Amika? Amika zou weg moeten. Ricardo De Bruyn spookte een hele nacht door haar nachtmerries. Badend in het zweet schrok Merel wakker uit een vreselijke droom waarin ze tevergeefs geprobeerd had om Amika bij zich te houden. Ze kon het niet laten gebeuren! Ricardo De Bruyn mocht Amika niet meenemen. Ze moest Amika helpen en dat kon alleen door te tonen hoe goed hij wel was en de Lente

Jumping te winnen. Maar dan moest ze wel eerst op Amika durven rijden...

Merel wist het niet meer. Ze knipte haar nachtlampje aan en zocht naar antwoorden in het dagboek van haar moeder...

'*Vallen, dat gebeurt bij de besten en ik wil geen opgever zijn...*' had haar moeder geschreven. Merel wilde ook geen opgever zijn. Ze wilde Amika niet opgeven. Ze mocht Amika niet opgeven...

Volhouden, Merel!

Jan had medelijden met zijn vriendinnetje. Toen ze de volgende ochtend op de manege verscheen, zag ze er bleek en moe uit.

Arme, lieve Merel... Jan wist dat ze talent genoeg had om het te kunnen, ze had alleen nog de moed nodig om het te durven. En dan was er nog die belofte aan haar vader... Merel moest zelf beslissen of ze het aandurfde of niet. Ze moest zelf beslissen of ze zou rijden of niet. Dit kon niemand in haar plaats doen.

Merel en Jan stonden samen aan de rand van de buitenpiste toe te kijken hoe de meisjes van de manege bezig waren met de preselectie van de Lente Jumping. Alsof het niets was sprongen de paarden over de hindernissen heen terwijl de meisjes elegant in het zadel meebewogen. Het leek zo gemakkelijk vond Merel. Waarom kon zij het dan niet?

"Ik ben zo bang om weer te vallen," zei Merel stilletjes.

"Ja, springen gaat iets beter als je blijft zitten," zei Jan lief.

Merel glimlachte. O, wat hield ze van hem... Ze wilde alles doen om hem toch maar niet teleur te stellen. Merel nam een besluit. "Maar ik wil het nog een keer proberen. Voor Amika," zei ze vol nieuwe moed.

"Echt?" lachte Jan. "Dat is super!" Hij was zo blij dat hij haar spontaan een knuffel gaf. Merel werd warm en koud tegelijk en ze wist zeker dat ze knalrood werd. Toen Jan haar weer losliet, durfde ze hem bijna niet aan te kijken.

Ook Julie was dolgelukkig dat Merel het nog niet opgaf. Merel mòest gewoon meedoen aan de Lente Jumping, vond ze. En daarom had ze samen met Jan iets leuks bedacht: voor Merel met Amika naar de weide ging om te oefenen, troonde Julie haar mee naar de hooischuur. "We hebben een verrassing voor jou," zei ze. "Omdat je weer gaat rijden."

Merel geloofde haar ogen niet toen ze het cadeautje zag: Jan en Julie hadden voor een complete rijoutfit gezorgd. Een witte rijbroek, witte rijbloes en witte handschoenen, een zwart rijjasje en een spiksplinternieuwe tok. Het was prachtig. In deze outfit zag ze er eindelijk uit als een echte amazone. Toen Merel de rijkleren had aangetrokken, zag ze er compleet anders uit. Jan staarde haar vol ongeloof aan. Merel zag er prachtig uit! Toen Merel hem zag staren, gloeide ze van trots. Nu kon ze niet meer terug, toch?...

Zodra ze weer op Amika zat, probeerde Merel precies te doen wat Jan haar zo moeizaam had proberen uit te leggen. Ze probeerde niet bang te zijn en mee te bewegen met Amika. Ze had tenslotte nog maar één dag om het springen onder de knie te krijgen. Het was nu of nooit...

Julie en Jan keken vol spanning toe hoe Merel rondjes maakte rond de weide. Eerst in draf, dan galop. Het ging beter, veel beter dan de vorige dag. Merel zat mooi rechtop in het zadel en ook Amika leek het naar zijn zin te hebben. Amika deed precies wat Merel wilde, hun bewegingen leken bijna in elkaar over te vloeien. En Merel vond het heerlijk om zo te rijden, het was als in haar dromen.

Jan was trots op Merel en Julie was zo mogelijk nog trotser op haar vriendinnetje. Het rijden ging perfect.

Maar dat was niet voldoende om de Lente Jumping te winnen. Merel moest ook nog kunnen springen met Amika...

Jan en Julie hadden een hindernis in de weide geplaatst zodat Merel ook het springen kon oefenen. Amika schudde ongeduldig zijn kop; hij had genoeg van het braaf rondjes lopen, hij wilde springen. Maar toen Merel de hindernis zag, bonsde haar hart luid in haar keel. De balk lag zo hoog! En ze wist helemaal niet hoe ze Amika zover kon krijgen om te springen! Ze zou vallen, ze wist het zeker. Jan en Julie riepen haar van aan de kant van de weide aanmoedigingen toe.

Merel verzamelde al haar moed en liet Amika naar de hindernis lopen. Maar hoe dichter ze kwamen, hoe banger ze werd. Wat als Amika niet sprong? Dan zouden ze tegen de balk botsen, ze zou vallen. Ze kon haar nek wel breken.

"Komaan, Merel!" duimde Jan vanaf de kant. "Je kunt het!"

Maar Merel was bang. Te bang. Ze merkte dat Julie haar hoofd schudde. Dit ging niet goed. Als Merel te bang was, zou ze fouten maken. Ze zou vallen.

"Stop!" gilde Julie vlak voor Merel de hindernis zou nemen.

Merel rukte aan de teugels en Amika stopte.

Jan was kwaad. "Waarom doe je dat nu?" schreeuwde hij boos tegen zijn zusje.

"Je ziet toch dat ze bang is!" riep Julie al even boos terug.

Merel liet zich uit het zadel glijden. Ze was enorm opgelucht dat ze het niet had gedaan.

"Sorry," zei ze tegen Jan, "ik durf het gewoon niet..."

"Maar je doet het geweldig!" zei Jan. "Het komt echt allemaal in orde!"

Merel wilde hem zo graag geloven. Maar zou ze ooit durven springen? Ze keek met een zucht naar de hindernis.

Jan zag haar kijken. "We kunnen trouwens niet meer terug..." zei hij. Hij haalde uit zijn zak een bedrukt blad tevoorschijn. Het was de inschrijving voor de Lente Jumping. Jan had Merel ingeschreven... Voor de eerste keer kon dat ook via internet en Jan had de vorige avond de computer van Herbert de la Fayette 'geleend' om dat te doen.

"Het was niet zo gemakkelijk om je in te schrijven," zei hij, "ik heb wat moeten knoeien met je achtergrond, ervaring, referenties, hoeveel wedstrijden je al gewonnen hebt... en je naam..."

Merel staarde naar het blad. "Jolientje De Koninck?"

Jan grijnsde. "Dag Jolientje, ik ben Jan..."

Een concurrente

Terwijl Merel stiekem met Amika oefende in de weide, waren de meisjes van de manege bezig met hun preselectie voor de Lente Jumping. Marie-Claire was bijna zeker van haar overwinning. Ze had een foutloos parcours afgelegd en omdat ze de beste cijfers had gekregen voor de theoretische proef, kon het niet anders of ze was erbij. De uitslag van de preselectie kwam voor Marie-Claire dan ook als geen verrassing. Als vertegenwoordigsters van de manege waren verkozen: Hedwig en zijzelf, Marie-Claire de la Fayette.

"Jammer dat alleen de besten mogen meerijden, hé?" grijnsde Marie-Claire tegen Chanel.

Chanel was doodongelukkig. Ze had zo gehoopt dat ze er bij zou zijn, ook al kon dat natuurlijk niet omdat ze zo'n slechte theoretische proef had afgelegd...

Marie-Claire vond het helemaal niet leuk dat haar vriendinnetje zo koel reageerde. Begreep ze dan echt niet hoe belangrijk deze wedstrijd voor haar was? Dit was haar kans om het hart van Casper te veroveren! "Chanel," zei ze bits. "Gun je me dan echt niets?"

Chanel maakte een grimas die een glimlach moest voorstellen. Ze moest wel, anders zocht Marie-Claire toch gewoon een andere beste vriendin? Er waren kandidaten genoeg.

Marie-Claire bestudeerde tevreden de definitieve deelnemerslijst die Chris Bogaerts bij de kantine had uitgehangen. Marie-Claire de la Fayette... wat een schitterende naam had ze toch. Haar ogen dwaalden over de andere inschrijvingen, maar ze zag geen echt bekende namen. De concurrentie zou niet veel voorstellen. Het zat haar echt mee.

Hedwig knikte haar schijnheilig toe. "Proficiat, Marie-Claire," zei ze. "Moge de beste winnen!"

"De beste zal winnen!" zei Marie-Claire sluw. Natuurlijk zou zij winnen. Zij was veruit de beste springster van de hele manege. Hedwig mocht dan bijna even rijk zijn als zij, als het

op paardrijden aankwam, stak zij kilometers boven haar uit.

Haar broer was ondertussen komen binnenstuiven met zijn vreselijke vriend Gringo.

"Jij winnen? Daar zou ik maar niet zo zeker van zijn," zei haar broer met een gemeen lachje. "Je hebt een gevaarlijke concurrente!"

Marie-Claire draaide met haar ogen en zuchtte. Waar had hij het nu weer over.

Maar haar broer glimlachte mysterieus. "Ja ja, er doet een geheime amazone mee aan de wedstrijd, en ik zou maar opletten want ze zou wel eens heel erg goed kunnen zijn!"

Marie-Claire vertrouwde haar broer voor geen haar. "Wie dan?" zei ze stout.

"Merel!" grijnsde Olivier.

Marie-Claire kreeg een hoestbui. "Merel?" hikte ze ongelovig.

Olivier grijnsde. "Jep! Merel wordt jouw grootste concurrente!" Hij toonde haar een stapeltje artikels die hij van het internet had geplukt. Ze gingen allemaal over Sofie De Ridder, de amazone die tien jaar geleden bij een springwedstrijd om het leven was gekomen. En die Sofie De Ridder was de moeder van Merel. Als Merel maar de helft zo getalenteerd was als haar moeder, won ze met meters voorsprong van Marie-Claire.

"Hoe kom je hieraan?" vroeg Marie-Claire.

"Gisteren bij die filmvoorstelling in de kantine schrok Jan enorm toen die foto's van de beste amazones op het scherm verschenen. En een beetje later heb ik hem betrapt toen hij aan het bellen was met iemand die jou zou verslaan. Je kent mij, hé, liefste zusje, ik moest gewoon weten wie dat was en ik ben op onderzoek gegaan. Zo simpel als wat!" zei Olivier trots. "Maar in ruil voor deze informatie wil ik wel iets terug van jou."

"Wat dan?" vroeg Marie-Claire onnozel.

"Jij maakt een maand mijn huiswerk!" zei Olivier.

Marie-Claire keek hem verstrooid aan. "Olivier, maak dat je wegkomt," zei ze. "Of ik vertel papa dat je mij probeert om te kopen."

"Jij... jij bent echt slecht!" zei Olivier teleurgesteld.

"Whatever!" zei Marie-Claire. Ze was haar broer al bijna vergeten. "Hoogverraad noem ik dit," siste ze. "Ik moet een manier vinden om die Merel uit te schakelen. Maar hoe?"

Chanel staarde bedachtzaam voor zich uit.

Kon dat meisje nu eens nooit haar aandacht bij de les houden, dacht Marie-Claire boos. Ze zwaaide met haar hand voor Chanels gezicht. "Chanel, hallo! Merel uitschakelen?"

"Ik denk dat dat niet zo moeilijk zal zijn," zei Chanel aarzelend. "Merel heeft me verteld dat ze van haar papa niet mag rijden..."

"Wat? Merel mág helemaal niet rijden van haar vader?" Dat was interessant. "Misschien moeten wij Merels papa maar eens gaan vertellen dat Merel niet zo braaf is als hij wel denkt," grijnsde ze.

Chanel keek geschrokken. "Moet dat echt? Merel kan toch nooit winnen? Ze traint nooit. Ze heeft zelfs geen paard! Ze staat zelfs niet eens op de lijst."

Chanel had gelijk. Merels naam stond inderdaad niet op de lijst. Gringo keek over haar schouder mee.

"Hoe komt het dat jij er niet opstaat?" vroeg hij aan Chanel.

"Ik mag niet meedoen..." zei Chanel. "Ik heb mijn theorietest verpest."

Marie-Claire wilde de theorietest zo snel mogelijk vergeten en ze kon het al helemaal niet hebben dat Gringo de aandacht van haar vriendinnetje trok.

"Zeg, moet jij de vuilniszakken niet gaan buitenzetten?" snauwde ze. Gringo trok een pruillip en verdween met de vuilnisbak die bij de deur stond.

"Luister, ik kan geen risico lopen," zei Marie-Claire tegen haar vriendinnetje. We moeten Merel uitschakelen en jij gaat me daarbij helpen. Als ik nu niet win, kan ik Casper wel vergeten."

Chanel schudde haar hoofd.

"Chanel, gun je me dan niets," snikte Marie-Claire vals. "En je bent mijn beste vriendin!"

Chanel zuchtte. Natuurlijk zou ze Marie-Claire helpen. Ze had geen andere keuze.

Marie-Claire zocht het adres van Merel op en een halfuurtje later belde Chanel aan bij het huis van Merel. Marie-Claire had haar precies gezegd wat ze moest vertellen: Chanel moest zich voordoen als journaliste van een paardensportblad en aan Tijs De Ridder zeggen dat ze wilde weten wat hij ervan vond dat zijn dochter ging deelnemen aan de Lente Jumping.

Nog één dag te gaan

Met nog één dag te gaan voor de Lente Jumping, was het erg druk op De Paardenhoeve. Van de gewone bezigheden kwam nauwelijks iets terecht. Mensen liepen af en aan, er moesten tribunes geplaatst worden naast de springpiste, stoeltjes en tafeltjes werden geleverd, de springpistes moesten er onberispelijk bijliggen, de geluidsinstallatie werd in orde gebracht, voor catering gezorgd... Meneer en mevrouw de la Fayette hadden het zo druk dat ze nauwelijks oog hadden voor andere zaken.

Merel en Jan waren in de namiddag weggeglipt naar de weide die ondertussen hun oefenpiste geworden was en ze hadden de hele middag geoefend. Morgen was de grote dag: morgen werd de Lente Jumping gehouden. Morgen moest Merel als Jolientje De Koninck met Amika rijden.

Toen ze Amika - hopelijk voor de allerlaatste keer - terugbrachten naar de oude stal, wachtte hen echter een onaangename verrassing... Ze liepen niets bewust het bospad af, maar al van ver zagen ze dat Herbert de la Fayette en Ricardo De Bruyn bij de stal stonden. En Herbert de la Fayette zag er ongelooflijk kwaad uit.

"Jan!" riep hij al van ver. "Wat is hier in godsnaam aan de hand? Wie heeft jou toelating gegeven om Amika uit de stal te halen?!"

"O, nee," kreunde Merel. Hoe zouden ze zich hieruit kunnen redden?

"Je tok!" fluisterde Jan. Merel rukte snel de tok van haar hoofd en hield hem achter haar rug verstopt. Schoorvoetend liepen ze naar de twee mannen toe. Zodra ze dicht genoeg waren, greep Ricardo hebberig de teugels van Amika, die onrustig heen en weer begon te trappelen.

"Wat doet Amika uit de stal?" vroeg meneer de la Fayette kwaad.

"Eh... ik moest de stal uitmesten," loog Jan. Maar Merel zag dat Herbert de la Fayette hem niet geloofde.

"Ik heb gezegd dat ik alles wilde weten wat er met Amika gebeurt," zei hij kwaad.

"Ach, ze hebben het beste voor met mijn paard," grijnsde Ricardo. Hij was tevreden. Het dure sportpaard dat hij voor een prikje had gekocht, zag er stukken beter uit dan de vorige keer. Merel kreeg kippenvel toen ze zijn akelige lachje hoorde…

"Meneer De Bruyn wil Amika vandaag nog meenemen," zei meneer de la Fayette.

"Vandaag?" schrok Jan.

Merel trok wit weg. Al hun moeite was voor niets geweest! Amika zou meemoeten met die enge man!

"Maar eh… misschien kunnen we nog één dag wachten?" probeerde Jan. "Zodat Amika pas na de Lente Jumping vertrekt?"

"O, eh, nee, nee, ik neem hem vandaag wel mee!" drong Ricardo De Bruyn aan.

Maar Herbert de la Fayette dacht na.

"Het zou natuurlijk een prachtige afsluiter zijn van de Lente Jumping," zei hij bedachtzaam. "De overdracht van Amika."

"O, maar dat hoeft niet hoor," probeerde Ricardo weer.

"En dan bent u mijn eregast!" zei Herbert de la Fayette. "U krijgt een plaatsje op de eretribune en als feestelijke afsluiter ondertekenen we de documenten! Wat denkt u daarvan!"

Ricardo kon niet anders dan toestemmen, maar het was zeker niet van harte…

"Goed, afgesproken!" zei Herbert de la Fayette. Dan draaide hij zich naar Jan. "En tot het zover is, blijft Amika op stal. Begrepen?" Jan knikte.

Jan en Merel haalden opgelucht adem toen Herbert de la Fayette en Ricardo De Bruyn terugliepen naar de manege. Dit was maar net goed afgelopen…

De waarheid komt aan het licht

Het was doodstil in huis toen Merel van de manege thuiskwam. Haar papa was nergens te bekennen, maar midden op tafel lag een briefje met haar naam in grote letters op de buitenkant. Nieuwsgierig vouwde ze het papiertje open.

'*Belofte... Belofte is een mondelinge of schriftelijke verklaring waarin men iets toezegt. Iets beloven, is zich verplichten iets te doen...*' stond erop geschreven. Merel werd vuurrood. Wist haar papa van het paardrijden af? Dat kon toch niet?...

De deur ging open en haar papa staarde haar ijzig aan.

"Wel?" vroeg hij.

"Ik weet niet waar je het over hebt," probeerde Merel nog.

"Je rijdt paard, Merel! Je wil zelfs meedoen aan een wedstrijd. En je had het nog zo beloofd. Ik dacht dat ik je kon vertrouwen. Je hebt je belofte verbroken!"

"Jij hebt ook gelogen!" zei Merel. "Jij hebt die bladzijde uit het dagboek verstopt. Mama had die speciaal voor mij geschreven!"

"Ik verbied jou hier en nu om ooit nog één keer op een paard te zitten," zei hij.

"Van mama mocht het wel!" zei Merel koppig.

"dat doet er niet toe! En je moet niet denken dat je aan die wedstrijd gaat meedoen."

Merel kon wel huilen. "Maar dan wordt Amika verkocht!"

"Wie is Amika?..."

"Een paard van de manege en hij gaat verkocht worden."

Haar papa was onvermurwbaar. "Wat kan mij dat stomme paard schelen," zei hij. "Ik had je nooit mogen laten teruggaan. Vanaf nu blijf jij thuis!"

"Waarom bepaal jij altijd mijn leven?" riep Merel verontwaardigd. "Ik ben toch oud genoeg om zelf te kiezen wat ik wil!?" Ze sloeg de deur hard achter zich dicht en bonkte de trap op naar boven waar ze snikkend in bed kroop.

De hele nacht lang lag Merel te piekeren in bed. Ze had altijd gedaan wat haar papa zei en ze had altijd vertrouwen in hem gehad. Waarom had hij niet meer vertrouwen in haar? Waarom begreep hij niet hoe belangrijk Amika voor haar was? Amika... zonder haar zou Amika meegaan met Ricardo De Bruyn! Waarom kon hij niet begrijpen hoe belangrijk paarden voor haar waren? Ze kon echt niet leven zonder, waarom zag hij dat niet?! Haar mama had het geweten, haar mama was net zo dol op paarden als zij!

Het was nog donker buiten toen Merel een belangrijke beslissing nam. Ze ging aan haar bureautje zitten, scheurde een lege pagina uit de agenda die ze voor haar verjaardag had gekregen en begon te schrijven:

Liefste papa,

Ik weet dat je het beste met me voor hebt, maar dit is iets wat ik moet doen. Ik hoop dat je me ooit kan vergeven. Kus, Merel.

Merel trok haar kleren aan en sloop het doodstille huis uit...

Merel neemt een beslissing

Merel vertrok met verwarde gevoelens van huis. Ze fietste een hele tijd doelloos rond. Toen het al ver over tienen was, zette ze uiteindelijk toch koers naar de manege. Ze vermeed de drukte vooraan en fietste om langs het bos zodat ze ongezien bij de weide kwam waar ze al die dagen op Amika had getraind.

Julie en Jan stonden in de wei te wachten met Amika. Ze hadden Amika helemaal opgetuigd voor de wedstrijd. Maar Merel schonk nauwelijks aandacht aan de witte vlechtjes en dotjes en het prachtig gepoetste zadel. Met haar kin op haar borst liep ze op Jan en Julie af. Zodra Amika Merel voelde aankomen, hinnikte hij zachtjes en duwde zijn kop tegen haar aan. Merel streelde hem lief over zijn neus.

"Eindelijk!" zei Jan opgelucht. "Ik dacht al dat je niet meer zou komen!"

"Ik heb ruzie met papa," zei Merel stilletjes. "Hij weet dat ik de wedstrijd wil rijden. Ik mocht niet komen... Ik ben thuis weggelopen..." Ze keek Jan ernstig aan. "Wat moet ik nu doen?"

Jan zuchtte. Hij zag hoe moeilijk Merel het had. Hij wilde haar in zijn armen nemen en zeggen dat ze beter naar huis kon gaan. Dat ze het moest bijleggen met haar papa. Maar dat kon hij niet. "Amika," zei hij. "Merel, we moeten Amika helpen..."

Vandaag was hun laatste kans. Vandaag moesten ze tonen dat Amika nog steeds een goed sportpaard was. Anders zou Amika van de manege verdwijnen en meegaan met die vreselijke man. Merel moest de wedstrijd rijden anders was al hun moeite voor niets geweest. "We zijn nu zo ver gekomen," zei Jan. "Als jij kan tonen dat Amika een waardevol paard is, wordt hij misschien niet verkocht."

Amika schudde zijn hoofd alsof hij wist hoe belangrijk Merels beslissing was, en maakte grappige grommende geluidjes. Merel legde haar hoofd tegen het zijne en streelde teder over de hartvormige bles op zijn kop. Ze was gek op paarden, maar dit paard was heel bijzonder voor haar. Ze was dol op hem. Er was niets wat ze liever wilde dan hem helpen...

Jan duwde haar een papier in handen. "Ik moet terug naar de manege..."

Merel keek naar het blad. Het was de deelnemerslijst.

"Jij bent als laatste. Doe het voor Amika..." Hij legde even zijn hand op Merels schouders, maar toen ze hem aankeek, trok hij zijn hand terug. Jan draaide zich om en liep naar De Paardenhoeve waar alles in volle voorbereiding voor de Lente Jumping was. Merel had zich nog nooit zo alleen en verlaten gevoeld.

Julie bleef zwijgend naast haar vriendinnetje staan.

"Papa gaat me voor altijd haten," zei Merel.

"Als dit is wat je echt wil doen, dan moet je gewoon je hart volgen," zei Julie. "En trouwens, ik heb Amika mooi gemaakt."

Merel glimlachte. Amika zag er inderdaad prachtig uit met de witte dotjes in zijn nek en de witte bandages om zijn benen...

Julie overhandigde haar de zak met haar rijkleren, gaf haar een stevige knuffel en liep toen achter haar broer aan terug naar De Paardenhoeve.

Merel keek hen met gemengde gevoelens na. Het leek zo simpel: je hart volgen. Als ze maar eerst eens wist wat haar hart zei? Ze wilde haar papa niet kwetsen, maar ze wilde zo graag paardrijden, ze wilde zo graag Amika helpen... Haar hart zei haar dat haar papa belangrijk was. En haar hart zei haar dat Amika belangrijk was. En ze moest kiezen...

"Ach lieve Amika," zuchtte Merel, "ik wil je zo graag helpen... Maar papa wil het niet. En straks moet je met die stomme Ricardo mee... Ik wil je niet kwijt! Maar ik kan je niet helpen. Springen met een paard en een wedstrijd winnen, dat kan ik gewoon niet."

Maar Amika was het niet met haar eens. Hij hinnikte zachtjes en schraapte met zijn hoef.

Merel keek naar de hindernis die ze gisteren niet had durven nemen.

"Jij denkt dat wij die wedstrijd kunnen winnen..." Amika knikte met zijn hoofd.

Merel glimlachte. "Wil je het nog een keer proberen?" vroeg ze zachtjes.

Merel staarde naar de hindernis. Zou ze durven?

De Lente Jumping

Marie-Claire werd wakker van de geluiden die van buiten haar slaapkamer binnenstroomden. Ze sprong uit bed. Vandaag was de grote dag. Haar grote dag! De dag van de Lente Jumping.

Verrukt keek ze uit haar slaapkamerraam naar buiten. Het was nog nooit zo druk geweest op De Paardenhoeve. De hele parking stond afgeladen vol met paardentrailers en overal liepen mensen. En het weer was schitterend! Ze ging aan haar kaptafel zitten en begon te neuriën toen ze de krulspelden uit haar haren haalde. Ze wreef haar gezicht in met ochtendcrème, deed vakkundig eyeliner op, en stifte haar lippen.

"En de winnaar is... Marie-Claire de la Fayette!" kirde ze terwijl ze haar armen in de lucht gooide. Dan deed ze of ze drie zoenen kreeg. "O, Casper, dankjewel!" giechelde ze alsof ze die zoenen net van Casper had gekregen. "Natuurlijk wil ik met jou uit eten!" Ze glimlachte breed en trok toen de kleren aan die al enkele dagen klaar hingen voor de grote dag. Een witte rijbroek, een bijpassend witte blouse en een donkerblauw rijjasje dat de kleur van haar ogen schitterend deed uitkomen. Nog snel handschoenen aan... "Voila! Klaar!" glimlachte ze tegen zichzelf.

Marie-Claire trippelde de trap af, maar er was niemand meer in huis. Haar ouders liepen drukdoend tussen hun gasten die begonnen te arriveren. Toen haar moeder haar zag, kwam ze snel naar haar toegelopen.

"Je kunt het!" zei ze. "Je moet winnen, zo kunnen we eindelijk die mislukking met Amika voorgoed achter ons laten. Doe het! Oké?"

Marie-Claire knikte. Ze zou haar ouders trots maken.

"Goeie morgen, dames en heren," klonk het door de luidsprekers, "en welkom op de 27ste editie van de vierjaarlijkse Lente Jumping..."

Het ging beginnen. Haar moeder gaf haar een zenuwachtig kneepje in de arm en ging er weer vandoor.

Marie-Claire keek zoekend rond. Even verderop merkte ze Hedwig op die met Casper stond te praten. Een donkere schaduw gleed over haar gezicht. "Wacht maar, stomme verraadster..." mompelde ze. Ze voelde een tik op haar rug en draaide zich om. Chanel stond achter haar. "Wat is er met jou aan de hand?" schrok ze. Chanel had een gips om haar been en liep op krukken.

"O niets..." mompelde Chanel. "Moest van mijn mama," mompelde ze. Marie-Claire grinnikte. Chanels moeder wilde vast dat niemand wist dat haar dochter niet geselecteerd was, dus moest ze maar doen alsof ze haar been had pijngedaan.

Marie-Claire schonk al geen aandacht meer aan haar vriendin. De deelnemerslijst werd afgeroepen. Toen ze haar naam hoorde, wreef ze tevreden in haar handen. Zij stond als voorlaatste! Wat een meevaller! Dit leverde haar een enorm voordeel op: ze kon uit de fouten van de deelnemers voor haar zien bij welke hindernissen ze extra moest opletten. Bovendien kende ze het terrein en de hindernissen op haar duimpje, dit was tenslotte haar manege. Het kon niet beter. En Merel zou al zeker niet rijden, daar had ze toch maar weer eens mooi voor gezorgd. Er was maar één ding dat haar zorgen baarde. Er kwam nog één iemand na haar. Jolientje De Koninck.

"Zeg, weet jij wie Jolientje De Koninck is?" vroeg ze aan Chanel.

Chanel schudde haar hoofd. "Het zal wel niet veel soeps zijn."

"Nee, dommie, vandaag wil ik alles onder controle hebben. Jij moet uitzoeken wie die Jolientje De Koninck is."

"Maar ik zit in het gips!" sputterde Chanel tegen.

"Net daarom," zei Marie-Claire. "Zo maak je je tenminste nuttig!"

Chanel droop met tegenzin af.

Het werd stil op de tribunes toen het eerste meisje aan haar springparcours begon. Een luid 'oooo' steeg op uit de kelen van honderden mensen toen ruiter en paard al bij de tweede hindernis een fout maakten. Alleen Marie-Claire wreef zich in de handen. Dat was er al eentje minder. Een beter begin kon ze zich niet wensen...

De amazones werkten een voor een hun parcours af en rond de piste heerste een gezellige drukte. Mensen stonden te praten aan de tafeltjes die overal rond de piste geplaatst waren, de tribunes zaten overvol.

Marie-Claire volgde met toenemend plezier de wedstrijd. Ze kon het ene na het andere meisje van haar lijst schrappen. Niemand had een foutloos parcours. En hoe meer fouten er werden gemaakt, hoe groter haar kansen werden om te winnen... En winnen moest ze. Als zij won, zou Casper haar niet meer links laten liggen.

Driekwart van de amazones was al aan de beurt geweest toen Marie-Claire Chanel weer zag. Deze keer zat ze aan een tafeltje met een drankje.

"Die overwinning is voor mij," zei Marie-Claire apetrots tegen Chanel. Chanel knikte terwijl ze verstrooid van haar drankje slurpte. Marie-Claire speurde de tribunes af. Ze had Casper al in geen tijden meer gezien.

"Heb jij Casper gezien?" vroeg ze.

Chanel schudde haar hoofd. "Leuk hé, zo'n wedstrijd?" zei ze afwezig.

Marie-Claire bekeek haar met afgrijzen. Leuk? Wat een stomme opmerking. En wat deed Chanel hier aan een tafeltje? "Weet je al wie Jolientje is?" vroeg ze scherp. Chanel keek geschrokken op en schudde haar hoofd.

"Wel, hop, wat zit je hier dan nog te doen?" maande Marie-Claire haar vriendinnetje aan.

Chanel zuchtte en ze liep het publiek in...

Marie-Claire keek Chanel tevreden na en richtte dan haar aandacht op de volgende deelneemster: Hedwig. Het was bijna haar beurt...

Zeker van de overwinning

Hedwig had het er niet goed vanaf gebracht. Ze eindigde haar parcours met zeven strafpunten. Marie-Claire juichte. Stiekem was ze een beetje bang geweest dat Hedwig het beter zou doen, maar ze had zich geen zorgen hoeven te maken. De beker van de Lente Jumping was voor haar. En nu was het haar beurt. Trots liep ze naar haar paard.

Ondertussen was ook Ricardo De Bruyn gearriveerd. Hij reed de overvolle parking op in een zware wagen met erachter een lege paardentrailer voor Amika. Ricardo was deze keer niet alleen. Hij had zijn vriendin meegebracht, een boomlange vrouw met een opvallend kleurrijk jurkje en pikzwart geverfde haren. Het contrast tussen haar en de kleine, pafferige Ricardo kon niet groter zijn. In plaats van zijn vrijgehouden plaatsje op de eretribune in te nemen, beende Ricardo meteen naar de stal van Amika... Hij wilde er zo snel mogelijk vandoor met dat paard.

"En dan is het nu de beurt aan nummer 37, Marie-Claire de la Fayette!" klonk het door de luidsprekers. Er werd geapplaudisseerd op de tribunes. Marie-Claire keek naar het publiek. Er verscheen een brede glimlach op haar gezicht. Casper was van zijn plaats in de tribune opgestaan en zwaaide erg opvallend naar haar. Haar hart maakte een sprongetje van vreugde. Alles zou goed komen, ze wist het zeker. En dat had ze verdiend ook. Marie-Claire gaf Casper haar stralendste glimlach en leidde haar paard toen naar de start. Kalm en zeker van de overwinning, begon ze aan het parcours.
Het publiek keek ademloos toe hoe Marie-Claire de eerste hindernis zonder fouten nam.
"En Marie-Claire de la Fayette neemt een oogverblindende start. De eerste barrages legt ze foutloos af!" galmde het door de luidsprekers. Het ging echt super. Marie-Claire zat trots als een koningin in het zadel. Ze was zo zelfverzekerd en rustig

dat het makkelijker ging dan ze ooit had verwacht. Nog even en ze had de overwinning én Casper.

"En ook de voorlaatste barrage wordt foutloos genomen! Nog één te gaan!" schetterde de stem van de omroeper.

Maar Marie-Claire werd overmoedig. Ze wilde er net iets te snel van af zijn. Bij de laatste hindernis ging ze net iets te kort voor de balk springen waardoor haar paard met zijn achterhoef de balk raakte…

"Oe-oeh! Dat is jammer! Bijna foutloos gereden! Maar toch slechts één foutje! Dat is voorlopig genoeg voor de overwinning!" Er steeg applaus op uit de tribunes.

Marie-Claire keek sip toen ze afsteeg en gaf haar paard een tik. "Rotknol, kun jij niet fatsoenlijk springen?" siste ze.

Maar eigenlijk hoefde ze zich geen zorgen te maken. Tot nu toe was zij de beste. En dat zou ze ook blijven, daar was ze zeker van. Tevreden leidde ze haar paard naar de kant van de piste. Haar vader en haar moeder stonden haar trots op te wachten en Casper stak zijn twee duimen naar haar op. En dan zag ze Chanel die met Gringo stond te praten naast de piste. Bah, wat zag die meid toch in die gek? En had ze haar niet gevraagd om uit te zoeken wie die Jolientje De Koninck was?

"Hé, Chanel," riep Marie-Claire. "Ik sta op 1. Goed hé. Zeg, heb je al ontdekt wie Jolientje is?"

Maar er was iets mis met Chanel. Ze keek ontzettend boos in haar richting. Ze kwam op haar ene been en op twee krukken naar haar toe gehupt. "Jij! Ik had je nooit mogen vertrouwen. Hoe kun jij zo liegen tegen mij!" zei ze kwaad.

Marie-Claire glimlachte verbaasd. Wat was er aan de hand? Toen zag ze dat Chanel iets in haar hand hield. Het was een exemplaar van de theorietoets. Het was het exemplaar dat zij vervalst had. Die stomme Gringo had het blad in de vuilbak gevonden en de corrector weg geschraapt en zo ontdekt dat onder Marie-Claires naam de naam van Chanel stond geschreven. Chanel was woest omdat ze haar bedrogen had. Maar dat kon Marie-Claire momenteel echt niets meer schelen. Ze schudde meewarig haar hoofd. "Ach, Chanel," zei ze zonder enige medeleven, "je zal er niet van doodgaan, hoor." En met haar kop in de lucht liep ze langs Chanel en Gringo heen.

Komaan, Merel!

Merel sloot haar ogen. Als ze zich hard concentreerde, hoorde ze in de verte de geluiden van op de manege en de Lente Jumping. De warme wind blies flarden van woorden over de weide.

Merel wilde liefst van al hier blijven. Boven op de rug van Amika. Alleen op de weide. Ze schrok op uit haar gedachten. Haar gsm die diep in haar zak zat, ging af. Een berichtje van Jan. '*Merel je moet nu rijden!*'

Het was tijd... Maar Merel bleef waar ze was. Ze kon het niet. Het zou nooit lukken...

In de verte kwam Julie afgerend. "Merel! Merel! Je moet nu rijden. Je moet Amika redden!" gilde ze al van ver.

Amika schudde ongeduldig zijn kop alsof hij haar wilde aanmoedigen.

"Heb je mijn papa gezien?" vroeg Merel. Julie was te uitgeput om iets te zeggen, maar ze schudde haar hoofd.

Merel zuchtte... Ze had zo gehoopt dat haar papa haar zou vergeven en naar de wedstrijd zou komen kijken. Maar blijkbaar zou hij het haar nooit vergeven. Het liefst van al wilde ze met Amika verdwijnen, samen met hem weglopen ver van hier, maar dat kon natuurlijk niet, zoiets kon alleen in dromen.

"Merel," smeekte Julie, "alsjeblieft?"

Amika schudde zijn hoofd. Ze moest een beslissing nemen. Nu.

"En dan nu de allerlaatste deelneemster. Jolientje De Koninck!" klonk het luid door de luidsprekers. Het publiek keek reikhalzend naar de piste, maar die was leeg. Waar was Jolientje De Koninck?

Er steeg geroezemoes op uit het publiek, maar niemand had Jolientje De Koninck gezien.

"Jolientje De Koninck?" klonk de stem van de juryvoorzitter door de luidsprekers. Plots was er beweging te zien op de groene piste. Iedereen rekte zijn nek, maar in plaats van een paard, rende er een klein mannetje in een wit pak met vlekken dwars over de piste. Ricardo...

"Mijn paard is weg!" schreeuwde hij al van ver. "Meneer de la Fayette, waar is Amika?"

Marie-Claire sloeg haar hand voor haar mond toen een prachtig wit paard het groene veld opstapte. Het was Amika.

Het geroezemoes verstomde terwijl Merel met Amika stap voor stap voortschreed. Merel zat kaarsrecht op de rug van het witte paard dat zo elegant en koninklijk voortschreed. Amika zag er prachtig uit, Merel zat als een keizerin hoog op zijn rug. Het was alsof ze uit één stuk gebeiteld waren, zo perfect vloeide hun silhouet in elkaar over.

Jan kneep van spanning zijn handen tot vuisten. "Komaan, Merel," fluisterde hij in zichzelf. "Je kunt het!"

Amika bleef onbeweeglijk staan aan de rand van de piste. Merel zat doodstil op zijn rug, al beefde ze van binnen als een rietje. Ze zocht met haar ogen het publiek af op zoek naar één iemand: haar papa. Hij zou niet komen. Merel sloot haar ogen en slikte haar tranen weg. Ze was nu zo ver gekomen. Ze moest door. Ze moest het doen voor Amika. Merel haalde diep adem en hield de teugels van Amika tussen haar vingers gekneld. Haar hart bonsde luid in haar keel. Was ze er klaar voor? Merel concentreerde zich op de lichtvlekjes die op de binnenkant van haar oogleden dansten. Amika zwaaide ongeduldig met zijn staart, maar bleef doodstil staan.

"Als Jolientje nu niet aanzet, dan zal ze gediskwalificeerd worden," maande de juryvoorzitter haar aan. Iedereen keek gespannen naar het paard en Merel.

Merel opende haar ogen en knipperde even tegen de felle zon. Ze tuurde naar de tribunes en het publiek. Ze zag Jan. Merel glimlachte, maar haar glimlach bevroor op haar lippen. Vlak bij Jan stond haar papa. Hij was er! Merel voelde paniek in zich opkomen. Ze wilde wegrennen. Maar dan besefte ze dat ze niets meer hoefde te verstoppen. Haar papa wist de waarheid. En de waarheid was beter dan alle leugens. Ze keek hem recht in de ogen. Plots verscheen er een warme glimlach om zijn lippen. Merels hart maakte een sprongetje. 'Doe maar,' leken zijn ogen te zeggen. 'Ik ben trots op jou. Mama is trots op jou.'

Op dit moment had Merel haar hele leven gewacht, hier had ze altijd van gedroomd. Dit was het moment. Dit was haar moment. Ze duwde lichtjes met haar hielen in de flanken van Amika. Amika wist wat hij moest doen. Met trotse hoge stappen liep hij in de richting van de eerste hindernis.
Het publiek hield de adem in toen Amika over de eerste hindernis heen ging.
Julie, die achter Merel was komen aanhollen, keek tussen haar vingers door.
Voor Merel het wist, waren ze erover. Het leek alsof ze vleugels hadden gekregen, zo snel en zacht ging het. Het publiek applaudisseerde. Verbaasd wierp ze een blik over haar schouder. Ze hadden de eerste hindernis zonder fouten genomen! Merel lachte breed.
Maar ze was er nog niet. Amika ging in de richting van de tweede hindernis... en sprong weer zonder enige fout over de balken heen. Het ging perfect.
Tussen het publiek stond Marie-Claire. Haar gezicht stond grimmig. Die gemene Merel, eerst wilde ze haar vriendje inpikken en nu pikte ze zelfs haar paard in!
Haar papa die haar daarnet zo gefeliciteerd had, keek haar verwonderd aan. "Ik begrijp het niet?" zei hij. "Dat paard was toch onhandelbaar?"
Marie-Claire haalde kwaad haar schouders op. Maar ze zweeg.

Toen Merel en Amika voor de laatste hindernis stonden, hadden ze nog niet één fout gemaakt. Merel hield Amika even in en tuurde naar de laatste hindernis. Alles zou hiervan afhangen. Als ze dit foutloos deden, hadden ze de titel.
"Dit wordt het, dames en heren!" klonk de stem van de omroeper. "Alles of niets!"
Maar Merel wist dat het niet meer hoefde. Niets hoefde meer. Zelfs als ze strafpunten kregen, hadden zij en Amika toch bereikt wat ze wilden: ze hadden aan de hele wereld getoond wat Amika waard was. Merel sloot haar ogen en zonder één

druppeltje zenuwen vlogen Amika en Merel over de laatste hindernis heen.

"NEEE!" stampvoette Marie-Claire woest. Merel had niet één fout gemaakt...

Een oorverdovend applaus barstte los op de tribunes en het publiek veerde als één man op. Merel was de absolute winnaar. Merel met Amika. Merel liet Amika naar de kant stappen en liet zich uit het zadel glijden. Haar papa wurmde zich door het publiek en nam haar vast in een stevige omhelzing. "Ik ben zo trots op je," fluisterde hij. "Mama zou zo trots op je geweest zijn." En Merel wist dat alles goed was.

Het publiek verdrong zich om Merel en Amika. Iedereen wilde haar hand schudden. Iedereen wilde Amika strelen. Merel hield Amika dicht tegen zich aan, bang dat hij zou opschrikken. Maar ze hoefde niet bang te zijn. Net als zij voelde Amika zich fantastisch en trots.

Casper wrong zich tussen de mensen door en stond achter meneer de la Fayette op en neer te wippen zodat ze hem zou opmerken. "Merel, darling," riep hij luid. "Proficiat! Ongelooflijk!"

Marie-Claire keek knarsetandend toe. Ze was woest. Ze had verloren. Verloren van een stalhulpje. Met tranen van woede beende ze weg. Ze wilde niet zien hoe Merel de beker en de zoenen kreeg die eigenlijk voor haar waren. "Als die stalhulp maar niet denkt dat ik het hier bij laat!" siste ze in zichzelf.

"Proficiat, Merel. Dat heb je fantastisch gedaan!" zei meneer de la Fayette terwijl hij een enorme rozet op haar jasje spelde. Het publiek klapte hard in de handen toen ze drie zoenen van hem kreeg.

Merel glimlachte blij. Tot iemand haar ruw opzij duwde. Ricardo De Bruyn greep de teugels van Amika uit haar handen.

"Mooi mooi," zei hij, "proficiat, allemaal. Sorry, maar nu moet ik ervandoor. Kan ik Amika meenemen?"

Het geroezemoes verstomde. Iedereen keek geschrokken naar Merel en het paard. Merels ogen werden groot van schrik en Amika hinnikte zenuwachtig. Merel deinsde achteruit alsof ze

Amika wilde beschermen. Nee, Nee! Ricardo mocht hem niet meenemen!

"Een woord is een woord!" zei Ricardo en hij trok aan de teugels zodat Amika wel moest volgen.

Meneer Lodewijks, die samen met Jasmine was komen kijken, stootte Herbert de la Fayette aan. "Wat doet die man hier?" fluisterde hij. "Ricardo De Bruyn is een gemene paardenhandelaar die verwikkeld is in allerlei duistere zaakjes. De politie zit zelfs achter hem aan."

Herbert de la Fayette keek zijn vriend verbijsterd aan. Wat? Waarom wist hij hier niets van?

"Meneer De Bruyn, de koop gaat niet door!" zei hij.

"Wat?" krijste Ricardo met zijn gemene stemmetje.

"Ik weet wie u bent, meneer De Bruyn," zei Herbert koel. "En als u binnen de zestig seconden de manege niet verlaten hebt, dan bel ik de politie."

"Dat kan je niet maken!" kraste Ricardo.

"Let maar eens op!" zei Herbert de la Fayette kil.

Een zucht van opluchting ontsnapte uit het publiek. Merel greep de teugels van Amika terug en ging beschermend voor hem staan.

Ricardo's mond ging open en dicht en het zweet parelde op zijn voorhoofd. Maar hij zei geen woord meer. Met grote stappen beende hij weg.

Merel
&
Jan

Merel & Jan

Terwijl Herbert de la Fayette zich over Merels papa ontfermde en hem uitgebreid feliciteerde met zijn getalenteerde dochter, ging Merel op zoek naar Jan. Ze wist waar ze hem zou vinden. Jan stond bij de oude stal van Amika.

Merel glimlachte toen ze hem in gedachten verzonken voor de stal zag staan.

"Hé, je mist het feestje," zei ze lief.

Jan keek geschrokken om. Hij had haar niet horen aankomen.

"Jouw feestje," zei Merel.

Jan schudde zijn hoofd. "Jij hebt het gedaan," zei hij zacht.

"We hebben het samen gedaan."

Jan wees naar de stal. "Ik ga morgen eerst die stal met de grond gelijk maken," zei hij.

"Bedankt!" Merel keek naar de rozet die bij de prijsuitreiking op haar jasje was gespeld. Voorzichtig maakte ze hem los en spelde hem op de borst van Jan. De prijs was evenveel van hem als van haar. Toen ze opkeek, zag ze dat Jan haar met een vreemde blik aankeek. Ze kon niet wegkijken. Ze verdronk bijna in zijn groene ogen. Ze hield haar handen stil op de rozet die ze op de plek van zijn hart had gespeld. Voorzichtig legde Jan zijn handen om haar heen en trok haar teder naar zich toe. Traag boog hij zich naar haar toe. Merel voelde zijn adem langs haar wang strelen en sloot haar ogen. Ze voelde de zachte lippen van Jan langs de hare strelen. "Jan, lieve Jan..." fluisterde ze voor ze haar mond op de zijne drukte. En dan verdronk ze in een eindeloze zoen.

Einde

Inhoud